公民科教育と学校教育

人権と法で深める探求のテーマ78

梅野 正信
新福 悦郎
蜂須賀 洋一

三恵社

はじめに

公民科は、「現代の諸課題を追究したり解決したりする活動」を通して、「公民としての資質・能力」を育成する教科、「平和で民主的な国家及び社会の有為な形成者」(『高等学校学習指導要領（平成 30 年告示)』) の育成に不可欠の教科とされる。引用中の「有為な形成者」は、「教育は、教育基本法第１条に定めるとおり、人格の完成を目指し、平和で民主的な国家及び社会の形成者として必要な資質を備えた心身ともに健康な国民の育成を期す」との記述が指し示す如くに、学習指導要領全体の目的とも重なるものとなっている。したがって公民科の教育内容と方法は、教育課程の総体がそうであるように、教育基本法（2006 年）前文が掲げる一文、「個人の尊厳を重んじ、真理と正義を希求し、公共の精神を尊び、豊かな人間性と創造性を備えた人間の育成」を踏まえ、「日本国憲法の精神にのっと」る形で、取り組まれる。公民科は、その根底において、日本国憲法、教育基本法、学習指導要領の趣旨と一体となり重なる教科、なのである。

「法律に定める学校の教員は、自己の崇高な使命を深く自覚し、絶えず研究と修養に励み、その職責の遂行に努めなければならない」と命ずる教育基本法第９条が、「崇高な使命」「研究と修養」を期待する「職責」も、その多くは、公民科の学習内容と重なる。なぜなら、「個人の尊厳を重んじ」「真理と正義を希求し」「公共の精神を尊び」「豊かな人間性と創造性」（教育基本法）等を希求する学校教育の全体は、根底においてすべからく、「人権尊重の精神の涵養」（人権教育及び人権啓発の推進に関する法律 2000 年）に資する教育、国家、社会の根幹を支える教育を構成するよう、定められているからである。

本書は、「平和で民主的な国家及び社会の形成者」を志向する教育と研修に資するために、高校公民科、教職の基本、人権教育の要点を、社会的課題をあげて、わかりやすく、総合的に学習できるよう構成した。

現実の課題に目を向け、苦しい立場にある人々に思いを寄せ、常に原点にたちかえって、教育者、教職としての在り方を見直す助けになればと願っている。

２０２１年3月１１日

著 者 一 同

目　次

I

公民科教育のための探究テーマ

1 公民科と社会的課題

公民科教員として、生徒たちにできること

みなさんは将来、公民科教員になったらどのようなことを生徒たちに伝えようと考えているだろうか。公民科教員として具体的現実的に何ができるのだろうか。

教科書の内容を生徒たちに教えていくことはもちろん大事なことである。しかし、ただ漠然と教えていくだけでは、単なるティーチング・マシーンにしか過ぎない。公民科教員の意義は、どのようなところにあるのか。

1 人権尊重社会実現のための公民科教員の役割

この本では人権について多くのテーマを割いている。それは、国際社会における共通の価値観として、人権尊重社会の実現がキーワードになっているからである。公民科教員は、まずもってその実現のために、生徒たちに多くの教材を準備し、考察させていくことが求められている。「ハンセン病問題」が社会で大きく取り上げられるようになったのは、2001 年の熊本地裁の判決からであった。ハンセン病元患者の方々は、らい予防法のもと、社会から隔離され、療養所での生活を余儀なくされた。しかし、はたしてこの問題を当時の公民科教員は人権侵害の事例としてどれほど生徒たちに教えていただろうか。教員自身が人権意識を高め、生徒たちの人権感覚を育成することが公民科教員には求められている。

2 18 歳選挙権の中、政治的教養を培い、政治意識を高める方策

2018 年から 18 歳選挙権が認められるようになった。今後は、現実の政治問題に関連する実際的な授業が求められている。もちろん政治的中立性を担保しながらも、公民科教員は、その授業実践を通して生徒たちの政治的教養をより一層培い、政治意識を高める努力が求められている。国際的な比較においても、日本の若者たちの政治的無関心は深刻である。最近では、国会における政府行政に対する野党の追及に対して、批判的すぎるという印象を持つ若者が多いと言われる。主権者として、権力に対して批判的思考を持つ市民性の育成が求められている。

3 憲法学習を豊かなものにしていく工夫

2018 年版学習指導要領によって、科目「現代社会」がなくなり、「公共」という科

目が誕生した。「現代社会」で学んでいた内容は、その他の公民科の科目に移行した部分もあったが、「憲法学習」については、「政治・経済」の科目だけの教育内容となり、「公共」では位置づけられていない。「公共」において、優れた授業実践を重ねていくことはもちろん重要であるが、日本社会の基盤となる憲法については、より深い学びが必要とされる。「倫理」や「公共」において「人間としての在り方生き方」としての道徳教育の充実が期待されているが、憲法学習を通した主権者教育の充実を忘れてはならない。

4　生徒たちにとって未来を豊かに生きるための真の学力の創造

教科書の内容を教えていくとき、どのような視点を持って授業づくりを行うべきなのか。2018 年版学習指導要領では、生徒たちの主体的な学びが重視されるようになった。「何を知っているか、何ができるか」（個別の知識・技能））だけではなく、「知っていること・できることをどう使うか」（思考力・判断力・表現力）、そしてさらに「どのように社会・世界と関わり、よりよい人生を送るか」（主体性・多様性・協働性、学びに向かう力、人間性 など）が柱となっている。そのために「アクティブ・ラーニングの視点からの不断の授業改善」が求められるようになった。

これまでは講義一辺倒の授業でも入試制度との関連から生徒からも保護者からも重宝されることが多かった。しかし、入試制度も共通テストとなり、将来的にはコンピテンシーを想定した問題への比重が高まりつつある。そのような時代状況の変化の中で、変わるべきは、生徒たちの主体性を生み出さない授業からの変革である。講義説明型の授業でも生徒たちの主体性を生み出すこともある。生徒たちがこれからの社会を生きていくために真に必要な学力を見定め、それに沿った授業実践の創造が求められている。

5　社会の動きに目を向ける授業実践の創造

2020 年は新型コロナ感染の影響で、それまで拡大してきたグローバリゼーションの動きが止まった。世界では、感染防止のためにトップダウンによる政治体制がクローズアップし、民主主義の危機的状況が生まれてきている。中国による香港統治の権力による民主主義の弾圧などがその例だ。そのような状況において、どのような市民性を生徒たちに培うべきなのか。問われているのは、教育における民主主義推進の担い手である公民科教員の役割である。その使命感を持つことが求められている。

≪発展≫公民科教員として目を向けるべき社会的課題を新聞から探し出してみよう。

2 公民系教科・科目の成立と変遷

「公民科」という名称は戦前にも存在した。

男子普通選挙（1925 年）と第 16 回総選挙（1928 年）等を契機とし、中学校令施行規則改正（1931 年）により、旧制中学校において、公民科が必修とされた。戦前期においても「公民科」は存在したのである。戦後は、日本国憲法に基づく社会を学ぶ教科として、社会科が新設（1947 年）された。高校社会科が公民科と地理歴史科に独立したのは 1989 年改訂である。そして 2018 年改訂版では、18 歳選挙制度にあわせて、高校公民科に「公共」が新設されることになった。

資料１の年表をみて、社会科や公民科に関わる変化と、時代の変化との対応関係について、どのような関係があるのかを、考えてみたい。

【資料１】公民系の教科と科目構成　＊表中の（必）は必修を意味する。

1946	国民学校公民教師用書 中等学校・青年学校公民教師用書	
1947	学習指導要領社会科編Ⅰ（試案） 学習指導要領社会科編Ⅱ（試案）	社会科（必）、東洋史、西洋史、人文地理、時事問題
1952	中学校・高等学校学習指導要領社会科編Ⅲ（試案）	一般社会（必）、日本史。世界史、人文地理、時事問題
1955	高等学校学習指導要領	社会（必）、日本史、世界史。
1958	高等学校学習指導要領	倫理・社会（必）、政治・経済（必）、日本史、世界史ＡＢ、地理ＡＢ
1969	高等学校学習指導要領	倫理・社会（必）、政治・経済（必）、日本史、世界史、地理ＡＢ
(1976)	（日教組『教育課程改革試案』）	（「総合学習」「現代社会」の提案）
1978	高校学習指導要領	現代社会（必）、日本史、世界史、地理、倫理、政治・経済
1989	高校学習指導要領	地理歴史科：世界史Ａ、世界史Ｂ、日本史Ａ、日本史Ｂ、地理Ａ、地理Ｂ 公民科：現代社会、倫理、政治・経済
1999	高校学習指導要領	地理歴史科：世界史Ａ、世界史Ｂ、日本史Ａ、日本史Ｂ、地理Ａ、地理Ｂ 公民科：現代社会、倫理、政治・経済
2018	高校学習指導要領	地理歴史科：地理総合（必）、地理探究、歴史総合（必）、日本史探究、世界史探究 公民科：公共（必）、倫理、政治・経済

社会科や公民科に置かれる公民系の科目には、時代と現実を反映する内容が多く含まれてきた。戦後最初の学習指導要領には、高校社会科の選択科目「時事問題」において、この科目が、教師の指導の下で「日本のおもな時事問題を系統的に研究する」科目と位置付けられ、「単元の例」では、「わが国の食糧問題の解決はどうすればよいか 」が例示されている。「食糧問題」こそが、「現在わが国の直面している経済、政治、社会のあらゆる難問題の集中的表現」であり、「一般社会人として真剣に解決していこうとする熱意と、解決の方法への理解とを与えられるであろう出発点」というのである。

【資料２】単元の例「わが国の食糧問題の解決はどうすればよいか」（抜粋） 『学習指導要領社会科（Ⅱ）（第７学年－第 10 学年）（試案）』（文部省 1947 年）
・街には栄養失調によって餓死にせまられている者があり、（中略）闇取引は一般化してしまった。もしこの解決に失敗するならば、国内の秩序は破壊され、暴力と罪悪が民衆を支配して、敗戦による傷い（しょうい）と疲弊に悩む日本国民に、再び立ち上る気力を失わせるほどの危機が訪れるかも知れないのである。 ・戦前から、わが国は食糧の自給自足のできない国であった。大正時代には、年々相当量の米穀を南部アジアから輸入し（略）。 ・満州の大豆やカナダの小麦粉、北支、台湾の塩の輸入は、年々相当の金額にのぼっていた。 ・太平洋戦争中には、わが国は海上封鎖を受けたので、国外からの食糧輸入が困難となり、国民の食糧事情は日を追ってひっ迫するに至った。

『高等学校学習指導要領』（文部省 1978 年）では、「現代社会」が新設され、社会科唯一の必修科目とされた。学習指導要領の本文には、現代社会の箇所には、「人間の尊重と公害の防止」「労働条件と労働関係の改善」「核兵器と軍縮問題」等の語がみえる。解説では、「自ら考え、判断し、自分自身の人生と社会生活を充実したものにすることかできる」、「そのために必要な社会と人間に関する基本的な問題について学ばせる」と指示された。

『高等学校学習指導要領』（文部科学省 2018 年）の新設科目「公共」については、「現実社会の諸課題の解決に向けて、選択・判断の手掛かりとなる考え方や公共的な空間における基本的原理を活用して、事実を基に多面的・多角的に考察し公正に判断する力や、合意形成や社会参画を視野に入れながら構想したことを議論する力を養う」と記載されている。また 2018 年改訂では、「総合的な探究の時間」が新設され、ここでも、「実際の生活にある課題を取り上げることで、生徒は地域や社会において、何が本質的な課題なのかを明らかにし、発見した課題をよりよく解決しようと真剣に取り組み、自らの能力を存分に発揮する」と、社会的課題へのアプローチが可能となっている。

≪発展≫公民科や「総合的な探究の時間」では、どのような社会的現実を取り上げることが可能だろうか。主題を選定し、選定した理由を発表しよう。

3 公民科目標の変遷

2018 年版学習指導要領の目標はどう変化したのか。1989 年版以降の目標と比較して、その共通点と相違点をさがそう。

2018 年版学習指導要領は、2022 年度より本格実施される。公民科教員としては、公民科の目標をよく理解して授業実践を行っていくことが求められる。そこで、1989（平成元）年以降の学習指導要領に示された公民科の目標を比較してみよう。どのような相違点に気づくだろうか。比較することで新学習指導要領の特色が見えてくる。

【資料 1】1989 年版、1999 年版、2009 年版、2018 年版公民科目標[1]

1989（平成元）年版（文部省）	1999（平成 11）年版（文部省）	2009（平成 21）年版（文科省）	2018（平成 30）年版（文科省）
広い視野に立って、現代の社会について理解を深めさせるとともに、人間としての在り方生き方についての自覚を育て、民主的、平和的な国家・社会の有為な形成者として必要な公民としての資質を養う。	広い視野に立って、現代の社会について主体的に考察させ、理解を深めさせるとともに、人間としての在り方生き方についての自覚を育て、民主的、平和的な国家・社会の有為な形成者として必要な公民としての資質を養う。	広い視野に立って、現代の社会について主体的に考察させ、理解を深めさせるとともに、人間としての在り方生き方についての自覚を育て、平和で民主的な国家・社会の有為な形成者として必要な公民としての資質を養う。	社会的な見方・考え方を働かせ，現代の諸課題を追究したり解決したりする活動を通して，広い視野に立ち，グローバル化する国際社会に主体的に生きる平和で民主的な国家及び社会の有為な形成者に必要な公民としての資質・能力を次のとおり育成することを目指す。 （1） 選択・判断の手掛かりとなる概念や理論及び倫理，政治，経済などに関わる現代の諸課題について理解するとともに，諸資料から様々な情報を適切かつ効果的に調べまとめる技能を身に付けるようにする。 （2） 現代の諸課題について，事実を基に概念などを活用して多面的・多角的に考察したり，解決に向けて公正に判断したりする力や，合意形成や社会参画を視野に入れながら構想したことを議論する力を養う。 （3） よりよい社会の実現を視野に，現代の諸課題を主体的に解決しようとする態度を養うとともに，多面的・多角的な考察や深い理解を通して涵養される，人間としての在り方生き方についての自覚や，国民主権を担う公民として，自国を愛し，その平和と繁栄を図ることや，各国が相互に主権を尊重し，各国民が協力し合うことの大切さについての自覚などを深める。

まず、一見して分かるのは、2018 年版の目標がいかに大きく変化したかということ

である。その記述量の増加に驚くであろう。

目標の文言で変化したのは、1999年版から「主体的に考察させ」が加えられたこと、2009年版からはそれまでの「民主的、平和的な国家・社会」が「平和で民主的な国家・社会」に変化したことである。

2018年版の目標で新たに出現している文言を探してみよう。

「社会的な見方・考え方」、「現代の諸課題を追究したり解決したりする活動」「グローバル化する国際社会」が最初のところに表記されている。

これらの文言についての解説では次のように記されている。どのような内容が挿入されたのか、説明を精読してみよう。

【資料２】「2018年版学習指導要領公民科解説」より一部抜粋[2]
・「社会的な見方・考え方」については，社会的事象等の意味や意義，特色や相互の関連を考察したり，社会に見られる課題を把握して，その解決に向けて構想したりする際の「視点や方法（考え方）」であると考えられる。 ・「現代の諸課題を追究したり解決したりする活動」については，単元など内容や時間のまとまりを見通して学習課題を設定し，諸資料や調査活動などを通して調べたり，思考・判断・表現したりしながら，社会的事象等の特色や意味などを理解したり社会への関心を高めたりする学習などを指している。 ・「グローバル化する国際社会」は人，商品，資本，情報，技術などが国境を越えて自由に移動したり，組織や企業など国家以外の様々な集合体の役割が増大したりしてグローバル化が一層進むことが予測されるこれからの社会において，国家及び社会の形成者として必要な資質・能力を育成することの大切さへの意識をもつことを期待した。

2018年版公民科目標には、これまでにない（１）、（２）、（３）が加えられている。それぞれのキーワードは、（１）「理解」「技能」、（２）「考察」「判断」「議論」、（３）「態度」「人間としての在り方生き方」「自覚」となろう。それらは、学校教育法第30条第２項の規定等を踏まえ，2018年版学習指導要領全般に採り入れられた、(1)「知識及び技能」、（２）「思考力、判断力、表現力等」、（３）「学びに向かう力，人間性等」と重なるものとなっている。

それでは、1989年以後の公民科目標に共通する文言を探してみよう。

「広い視野に立つ」「平和で民主的な国家及び社会の有為な形成者として必要な公民としての資質」にはほとんど変化はない。これらは、時代が変わっても変化しない公民科のベースとなるアイデンティティということになる。

≪発展≫2018年版学習指導要領にじっくり目を通してみよう。公民科についての記述で目に留まったところを書き出してみよう。

1　1989年及び1999年（文部省）、2009年及び2018年（文科省）『学習指導要領』。
2　『高等学校学習指導要領(平成30年告示)解説公民科編』2018年7月、21～23頁。

4 「公共」新設の背景と学習内容の特色

新科目「公共」新設の背景をさぐり、学習内容を整理してみよう。

2018年版学習指導要領によって、それまでの「現代社会」に代わって新科目「公共」が新設された。公民科の科目は「公共」「政治経済」「倫理」の三科目となった。

新科目「公共」はどのような背景があって、新設されたのだろうか。科目改訂までの背景や経緯を理解しておくことは、「公共」がどのような性格の科目であるかの認識を深める参考となろう。

【資料1】新科目「公共」誕生の経緯

（1） 自由民主党「自民党政策集J-ファイル2010」：道徳教育や市民教育、消費者教育等の推進を図るため、「公共」を設置します。

（2） 2013年6月、自民党文部科学部会のプロジェクトチームで新科目「公共」について検討が行われ、提言がなされた[1]。

（3） 2014年11月、学習指導要領の改訂に向けた中央教育審議会への諮問：「国家及び社会の責任ある形成者となるための教養と行動規範や、主体的に社会に参画し自立して社会生活を営むために必要な力を、実践的に身に付けるための新たな科目等の在り方」

（4） 2015年8月、中央教育審議会教育課程企画特別部会：「家庭科や情報科をはじめとする関係教科・科目等とも連携しながら、主体的な社会参画に必要な力を、人間としての在り方生き方の考察と関わらせながら実践的に育む科目『公共（仮称）』の設置を検討する」

（5） 2016年12月、中央教育審議会答申：新科目「公共」は、「現代社会の諸課題を捉え考察し、選択・判断するための手掛かりとなる概念や理論を、古今東西の知的蓄積を踏まえて習得するとともに、それらを活用して自立した主体として、他者と協働しつつ国家・社会の形成に参画し、持続可能な社会づくりに向けて必要な力を育む」科目である。

上記の資料から分かることはどのようなことだろうか。

一つは自民党の政策によって新科目が検討されたことが契機となっている。2015年以降は中央教育審議会によって検討され、「主体的な社会参画に必要な力」を育成することが求められていることが分かる。これらには、自民党による「道徳教育の充実」と2018年公職選挙法改正によって選挙年齢が引き下げられ18歳選挙権となり「主権者教育の充実」が背景にあると言われる[2]。

では、新科目「公共」の内容はどのようなものか。学習指導要領「公共」の内容を整理してみよう。

【資料2】学習指導要領「公共」の内容					
項目		学習内容	活動	知識・技能（要点のみ）	思考力，判断力，表現力等
A 公共の扉	（1）公共的な空間を作る私たち	公共的な空間と人間との関わり，個人の尊厳と自主・自律，人間と社会の多様 性と共通性などに着目して，社会に参画する自立した主体とは何かを問う。	現代 社会に生きる人間としての在り方生き方を探求する活動	（ア）自らを成長させる人間としての 在り方生き方についての理解。 （イ）人間は，個人として相互に尊重されるべき存在であるとともに，社会的な存在であるこ と，自ら の価値観を形成するとともに他者の価値観を尊重することができるようにな る存在であることの理解。 （ウ）自 立した主体になることが，自らのキャリア形成とともによりよい社会の形成 に結び付くことについての理解。	（ア）社会に参画する自立した主体とは，様々な集団の一員として生き，他者との協働により当事者として国 家・社会などの公共的な空間を作る存在であることについて多面的・多角的に考察し，表現すること。
	（2）公共的な空間における人間としての在り方生き方	主体的に社会に参画し，他者と協働することに向けて，幸福，正義，公正など に着目する。	課題を追究したり解決したりする活動	（ア）個人や社会全体の幸福を 重視する考え方や，公正などの義務を重視する考え方など についての理解。 （イ）現代の諸課題について行為者自身の人間と しての在り方生き方について探求することが，よりよく生きていく上で重要 であることについての理解。 （ウ）よりよく生きる行為者として活動するために必要な情報を収集し，読み取る技能。	（ア）自らも他者も共に納得できる解決方法を見いだすことに向け，人間としての在り 方生き方を多面的・多角的に考察し，表現すること。
	（3）公共的な空間における基本的原理	自主的によりよい公共的な空間を作り出していこうとする自立した主体となる ことに向けて，幸福，正義，公正などに着目する。	課題を追究したり解決したり する活動	（ア）公平・公正に調整することを通して，人間の尊厳と平等，協働の利益と社会の安定性の確保を図ること が，公共的な空間 を作る上で必要であることについての理解。 （イ）人間の尊厳と平等，個人の尊重，民主主義，法の支配，自由・権利と責 任・義務など，公共的な空間における基本的原理についての理解。	（ア）公共的な空間における基本的原理について，個人と社会との関わりにおいて多面的・多 角的に考察し，表現すること。

上記の資料では、「A　公共の扉」のみを整理している。この後に、「B自立した主体としてよりよい社会の形成に参画する私たち」、「C持続可能な社会づくりの主体となる私たち」で構成されている。

注目すべきは、活動の項目である。「(1)人間としての在り方生き方を探究する活動」「(2)課題を追究したり解決したりする活動」となっており、新設背景となった(1)道徳教育の充実、(2)主権者教育の充実が見え隠れしている。また、テーマ学習が基本的な授業でのスタイルとして取り入れられている。つまり、教師主導の説明型の授業ではなく、学習者自身による諸科学の成果や知見をもとにした主体的な課題追究が求められている。

≪発展≫「B　自立した主体として～」、「C　持続可能な社会づくり～」についても、資料2のように学習指導要領を参考にして内容整理してみよう。

≪参考文献≫工藤文三「『公共』の基本的性格と実践に向けた課題」『「公共の扉」をひらく授業事例集』清水書院、2018年、8～15頁。

1　産経新聞　2013年6月17日付。

2　桑山俊昭「新科目『公共』をどう見るか」『歴史地理教育』NO. 881、2018年、22～27頁。

5 「倫理」「政治経済」改訂の特色

2018 年版学習指導要領で科目「倫理」「政治経済」はどう改訂されたのか。

2022 年度より公民科は「公共」「倫理」「政治経済」の科目構成で授業は行われる。「公共」が新設されて、これまでの科目「倫理」「政治経済」はどのように改訂されたのか。文部科学省は、改訂の方向性を次の資料１を提示して整理している[1]。

【資料１】 高等学校学習指導要領における「倫理」の改訂の方向性

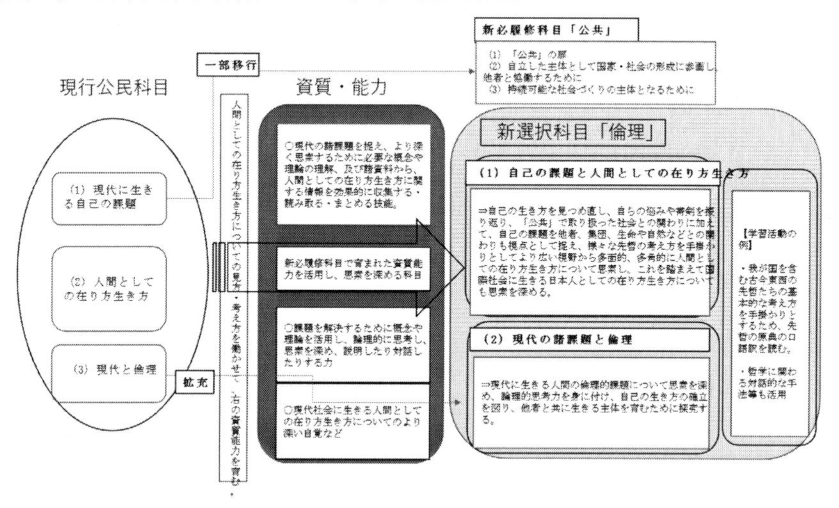

同様に、「政治経済」の改訂の方向性についても同じような資料を準備している。資料を見ながら、次の問いの答えを探してみよう。

①これまでの公民科「倫理」や「政治経済」との違いはどこにあるのか。

②「公共」との関連はどうだろうか。

③新しい学習指導要領ではどのような内容を学習するのだろうか。

これまでの倫理においては「（1）現代に生きる自己の課題」が最初の章として位置づけられていた。そこでは「人生の中の青年期」などについて学習してきたが、2018 年版からは、必修科目の「公共」の「（1）公共の扉」に位置づけられるようになった。新選択科目「倫理」では、「現代の倫理的諸課題を探究する」「人間としてのあり方生き方についてより深く自覚する」「倫理的諸価値について時代を超えた様々な先人の哲学者の考え方を手掛かりにして、考える倫理」を推進することとなった。そのために、「倫理」では、「（1）自己の課題と人間としての在り方生き方」「（2）現代の諸課題と倫理」が内容構成の柱となった。学習活動の例としては、「先哲の原典の口語訳を読む」「哲学に関わる対話的手法等も活用」が紹介されている。

これまで先人の哲学について、知識・理解を中心にした授業に偏りがちであったが、新しい学習指導要領では、自分自身の生き方や考え方を深めるために、先人の哲学の古典を読みながら、同時にテーマをもとに議論しながら対話的に考えていくというスタイルが求められている。小中学校の特別の教科道徳においても強調された「考え議論する」道徳の延長上に、高校では倫理において「考え議論する」倫理として示されている。

新選択科目「政治・経済」においては、それまでの「政治・経済」の内容構成の一つであった「（3）現代社会の諸課題」が重点的に扱われることとなった。新しく「（1）現代の政治と経済の諸課題」「（2）グローバル化する国際社会の諸課題」の二つが内容構成の柱となった。両方とも「諸課題」を取り扱うことになり、ここでも「正解が一つに定まらない現実社会の諸課題を協働して探究」することの意義が示されている。学習活動の例として「合意形成や社会形成を視野に入れながら協働して課題の解決に向けて探究する」「討論、ディベートなどの手法等も活用」とあり、「主体的で対話的な深い学び」に沿った活動が示されている。2018年版の「資質・能力」の観点からの取り組みが改訂の方向性として示されており、大学入試突破のために重視されてきた知識理解重視の授業からの脱却が求められている。

≪発展≫公民科ではどのような学習活動が要求されているのか、それぞれの科目で挙げられている例を書き出してみよう。2018年版学習指導要領と2009年版の学習指導要領の学習内容を比較して、具体的にどのような内容が変化したのか、チェックしてみよう。

---

[1] 文部科学省「幼稚園、小学校、中学校、高等学校及び特別支援学校の学習指導要領等の改善及び必要な方策等について（答申）別添資料３－15」（中教審第197号）、2016年12月、を参考にして筆者が一部修正して作成した。
https://www.mext.go.jp/component/b_menu/shingi/toushin/__icsFiles/afieldfile/2017/01/10/1380902_3_1.pdf

6 到達目標

公民科の到達目標はどこまで射程を伸ばしたらよいのだろうか。

社会科の目標は、長い間、社会認識の形成を通して市民的資質を育成するとされてきた。森分孝治によると[1]、「市民的資質とは、市民的活動をするために必要な能力であるとし、社会問題の解決に取り組む行動につながる意思決定も含まれる」と言う。「意思決定や行動を含む市民的活動をするための能力であり、人格の構成要素である知・情・意に対応させて社会認識体制、感情、意志力からなる」と述べる。そして、「市民的資質のうち中核となるのは社会認識体制である。」と言う。その際、社会認識については、「社会科を教科として成り立たせる知的活動領域であり、社会科教育の成果として子どもの内面に形成される社会事象に関する知識体系」であると述べ、「事実的認識」と「価値的認識」の二つに分かれると言う。

また、棚橋健治[2]は、社会認識力と社会形成力が市民的資質の重要な要素であることを指摘している。

社会科と親和性の強い公民科においては、その到達目標をどこまで視野に入れておくべきなのだろうか。

森分は、公民科教育の目標や教育原理の類型化を行い、次の４つに分析している。

【資料１】森分孝治による公民科教育の目標や教育原理の類型化
①(科学的社会認識)形成を目指す公民科 社会認識体制の事実認識の部分のみに関わり、より科学的な社会認識を目指す。 ②(合理的思想)形成を目指す公民科 価値的知識を含む社会認識体制全体に関わり、合理的な意思決定ができる力を育成しようとする。 ③(実践的思想)形成を目指す公民科 社会認識体制に加えて感情にも関わり、実践的な意思決定ができる力を育成しようとする。 ④(市民的行動力)育成を目指す公民科 意志力を含む市民的資質全体に関わり、市民的行動ができる力を育成しようとする。

①～④の類型による授業風景は、それぞれどのようなものになるのだろうか。次に予想されることを示す。

【資料２】類型化された公民科の予想される授業風景

①(科学的社会認識)形成を目指す公民科

この授業では、社会認識体制における事実認識が重視されるために、学習内容の重要なキーワードの理解が重要になってくる。また、社会諸科学の法則や理論についての理解も求めることになる。具体的には、教科書記述における太字の用語やその関係性、事実だけでなく法則や理論についての内容理解を求める授業となる。そのために、教師による説明が重視される授業風景が予想される。

②(合理的思想)形成を目指す公民科

この授業では、社会認識体制における事実的認識だけでなく、価値的認識まで視野に入れる授業となる。たとえば、授業において事実的認識を踏まえて、グループ討議や議論を通して、価値判断を議論し、最終的に、合理的な意思決定ができる力を育成しようとする。

③(実践的思想)形成を目指す公民科

この授業では、合理的な意思決定に加えて、感情を重視し、具体的な市民的行動の意思決定までを射程に入れる。たとえば、選挙の学習において、立候補者や政党の主張や政策を知り、実際に、自分の価値観や感情によって、どの立候補者や政党を選ぶかその意思決定までを射程に入れた授業となる。

④(市民的行動力)育成を目指す公民科

この授業では、実践的思想形成だけでなく、さらにその実践的な意思決定の推進力となる意思の力を育て、実際の市民的行動までを射程に入れる授業となる。教室だけでなく、社会に飛び出し、実際の市民的行動までを経験させる授業となる。

あなた自身は公民科教育の目標の射程をどのように考えるだろうか。上記の①～④から選んでみよう。そして、グループでどれが妥当か、議論してみよう。

研究者によって、それぞれ主張の違いがあり、一律にどれが良いとは言い切れないが、①～④の類型によって、実際の授業の風景が大きく変わってくることは予想できる。公民科到達目標の射程を考えることは、公民科によって培うべき学力論とも関連してくるのである。

≪発展≫さまざまな学習指導案を検索し、上記の①～④のどの授業に該当するか、分析してみよう。

---

[1] 森分孝治「市民的資質育成における社会科教育－合理的意志決定」、社会系教科教育学会『社会系教科教育学会研究』第 13 号、2001 年。

[2] 棚橋健治『社会科の授業診断』明治図書、2007 年、27～30 頁。

7 教育実習

教育実習で公民科の授業をどのように行うべきなのか。

高校における教育実習は、２週間〜３週間で行われる。実習中の大きな柱になるのは教科指導である。はたして授業をうまく行うことができるかどうか、不安を抱えながらの授業となる。もちろん、授業を行うためには、それなりの授業準備が必要となる。教材研究を行い、指導案作成は言うまでもなく、実際に模擬的な指示や説明、発問などを自分なりに演じて練習しておく必要がある。まさしく、俳優が本番前に台詞や振り付けの練習を行うように、公民科の教員も事前練習が必要である。教壇での一人芝居の練習をして、実際の授業に臨むことが求められる。生徒の前に立ってから、発問や指示、説明を考え出すことは、現職の教員でもむずかしいのである。

それでは、実際に教育実習を高校で経験した実習生の振り返りを読んでみよう。主に教科指導の部分だけを取り上げてみた。

【資料】教育実習の振り返り（注：実習生の体験談をもとに一部手を加えている）
実習生A：　私は、授業を通して「自分の知識不足」と「授業づくりの難しさ」を痛感した。高校時代の知識だけではぜんぜん足りない。受験に出るような重要な用語だけでなく、諸事象をつなぐ関係性についての自分の知識不足、認識不足を感じた。 　生徒全員が倫理を好きで選択しているわけではない。生徒が興味を持つことができるような知識が不足していた。具体的なエピソードなども必要だと思った。難解な言葉を自分の言葉で説明しなければならない。たとえば、倫理で「帰納法的考え方」と「演繹法的な考え方」があるが、事前の教材研究不足で自分自身が説明しながら混乱してしまった。 　同じ生徒でも時間帯や天気によって全然反応が違った。前の時間では活発に話し合ってくれたのに、急に話し合わなくなることがあった。体育の後は最悪だった。生徒の状況や時間帯によって、導入の工夫として、小話などを入れることも必要かなと思った。 　アクティブ・ラーニングについて、生徒一人ひとりが自分の頭で考えることが重要だと感じた。グループワークをすれば良いというわけではない。また、毎回グループワークを行う時間的余裕はなかった。
実習生B：私は実習を通して、授業づくりにおいて重要なのは「どうやったら生徒が理解してくれるか」を追求し続けることだと感じた。先生によって様々なアプローチがあるが、どれも根底にあるのは「生徒の理解がいちばん深まる方法」であり、そのための教材研究や授業づくりに費やす時間は惜しんではいけないと心から感じた。教材研究をすると言いたいことがたくさん出てきて、「生徒に教える」というよりは「自分が話す」のがメインになってきてしまう気がする。しかし、より良い授業というのは、常に生徒の目線から授業を考えることだと学んだ。これから教員になり授業をつくっていく上で、自分の知識を披露するのではなく、生徒の視点に立ち生徒の理解のための授業を展開していきたいと思う。

実習生C：実習中の授業において、まず痛感したことは自分自身の知識が足りないということでした。自信を持って生徒に指導するには教える内容の何十倍もの知識が必要だとわかった。また、どのような教材資料を準備活用し、授業においてどのような目的をもつか、さらにどのような発問を取り入れていくか、実際の授業を通してその大切さを学びました。 声の大きさや目線の動かし方、生徒による学習態度の差への対応、時間配分、板書など、授業展開において何が効果的なのかを考えていく必要性も感じました。 １週目は生徒たちとのコミュニケーションがうまくとれず、疎外感を感じ実習中につらいこともたくさんあって心も折れそうになったし、教員という仕事の大変さも目の当たりにした。しかし、２週目以降から次第に生徒たちと打ち解けて話ができるようになり、学級で生徒と関わって話しをもっとしたい、授業づくりで生徒たちの理解力を高めていきたいと感じるようになった。次第に実習を通して、教員になりたいと強く思うようになった。
実習生D：母校での実習であったが、当時との違いが公民科の授業でも見られた。共通テストという新入試制度が実施されることに関して、母校での授業は知識や理解だけでなく、それを活用する能力の育成に主眼を置き始めている点に、自分の在学中と大きな違いがあった。講義形式の授業はタイムマネージメントもしやすく内容も自分の授業研究次第なので、どうしても説明が多くなってしまい、「生徒の活動が少ない」という指摘を受けることが多かった。生徒たちの集中力の持続時間は想像以上に短い印象を受けた。10 分以上ただ説明し続けるという授業の成立は不可能と思ったほうが良い。とはいえ、アクティブ・ラーニングといったことも含めて、知識の基礎がない高校生にどのように活動させるかという点はかなり高度な工夫が必要だと思うし、その意味で実習中は「授業の成功」を求めるのではなく、「常に挑戦すること」や試行錯誤に対する意欲を見せることが重要であると感じた。 実習の苦労や挫折は人によって様々であるが、教育に関わる喜びや生徒たちと関わることの尊さは実習生全員が強く感じるところのようであった。

実習生A～Dの振り返りを読んで、みなさんが教育実習を前に学んだことは何だろうか。また、どのような準備が必要だと思っただろうか。

共通していることは、何よりも教材研究の大切さであろう。受験レベルの知識では教えることは難しいのである。実習生Dの振り返りにあるが、「授業の成功」を求めるのではないという言葉が一つ目にとまる。実習中の授業は失敗するのが当たり前である。「常に挑戦する」という意識が必要であろう。その前に、「授業の成功」とは何なのかについて考えていくことも重要であろう。

≪発展≫教育実習において公民科の授業実践に必要な要素を、上記の「教育実習の振り返り」を参考に挙げてみよう。

≪参考文献≫見島・小原・池野・棚橋・草原・鵜木・遠藤・大江・實藤・下前・蓮尾・山名・「教育実習のための効果的な指導方法に関する研究（1）―実習生の指導案作成におけるつまづきの分析―」『広島大学 学部・附属学校共同研究機構研究紀要』第 44 号、2016 年３月、297～306 頁。

8 学習指導案の要諦（略案）

公民科の授業ではどのような学習指導案を準備すれば良いのか。

ドラマや演劇でシナリオや脚本が準備されているように、優れた授業においてもシナリオや脚本となる学習指導案が必要である。学習指導案は大きく次の４種類に分かれると言われる。

【資料１】学習指導案の種類
（1）正案－研究授業、研究会、参観授業など、授業公開のときの公式の学習指導案。 （2）略案－正案を省略したもの。通常の授業で準備し活用する。主に本時の関係分だけを作成する。 （3）腹案－授業のアウトラインを記したもので、他に公開されない学習指導案。授業を進めるために自分なりに作成したもの。 （4）細案－研究授業や公開授業のために発問や指示、説明を詳細に記入したシミュレーション用の学習指導案。

授業を行うに当たっては、何よりもテーマに関する深い教材研究が求められる。授業の成功は教材研究に左右されると言っても過言ではない。しかし、単に教材研究だけでは不十分である。授業者は授業の進め方についても、計画を立て、発問や学習活動の指示などの授業構成を準備しておく必要がある。その計画書が学習指導案なのである。

では、教育実習ではどのような指導案を準備すれば良いのだろうか。基本的には、実習先の指導担当者の教員の指示ということになるが、一般的には通常の実習授業は最低でも「(2)略案」が必要となる。そして研究授業については、上記の「(1)正案」となる。ところが、「(1)正案」を仕上げれば授業は成功すると考えてはいけない。実は、さらに発問や指示、説明などの詳細な準備が必要であり、「(4)細案」の準備が実習では望まれる。

まず、「(2)略案」に必要な項目となる要素を次に示す。

【資料２】学習指導案（略案）に必要な項目（要素）
・タイトル、 ・日時、授業者名、担当学級、 ・本時の授業テーマ ・本時の実際（本時の目標、本時の指導計画）

では、実際の略案（著者が宮城県Ａ教諭作成のものを一部簡略化し修正した）を見てみよう。略案では、「本時の指導計画」を「本時の目標」をもとにして作成する。その際、中心となる発問を書き出し、使用する教材としての資料についても書き込んでおく。通常授業では授業の大まかな流れを把握するために略案が必要なのである。

第３学年　公民科（政治・経済）学習指導案（略案）

2021年10月13日（水）５校時
担当学級：３年５組　計29名
授業者：実習生　○○　○○

１．本時の授業テーマ
第１章　現代の政治　４節　現代政治の特質と課題
「投票率の低下について考える」

２．本時の目標
ア　「投票は義務か、権利か、個人の自由か」について、グループでの議論等を通して、考察を深める。
イ　健全な民主主義社会をつくるためには、有権者一人ひとりが社会に関心を持ち、政治について考え、判断し、投票によって意思表示することが重要であることを理解させる。

３．本時の指導計画

	学習活動と主な発問	指導上の留意点
導入5分	・選挙権が18歳であることを確認する。 ・資料１（各世代別投票率の推移）から、投票率はどうなっているでしょうか。 学習課題：投票率低下について考える	・高校生も有権者となること、近い将来選挙があることを意識させる。 ・他世代と比較して、10代の投票率が低い推移になっていることを読み取らせる。
展開40分	・なぜ10代の投票率は低下しているのだろうか。 ・資料２（高校生の投票しなかった理由アンケート資料）をもとに、投票しなかった主な理由を確認する。 ・投票しなかった理由について３つに分けてそれぞれ対応策を考える。 ・なぜ投票しなければならないのか、義務／権利／自由のいずれかに挙手させる。 ・投票をどのように考えるのかグループで議論する。 ・アーレントの分析を紹介し、政治的無関心や思考停止が全体主義につながることを説明する。	・生徒に予想させる。 ・何人か指名し、発表させる。 ・３つの意見それぞれについて議論を行わせ、発表させる。
終結5分	・健全な民主主義社会を築くために、政治や社会に関心を持ち、考え、投票によって意思表示することが重要であることを説明する。 ・授業内容をワークシートに記入させる。	

≪発展≫教科書のテーマの中から見本を参考に略案を作成してみよう。

9 学習指導案の要諦（正案）

学習指導案の正案とはどのようなものなのだろう。

研究授業、研究会、参観授業など、授業公開のときの公式の学習指導案は、「正案」と呼ぶ。正案の例を示す。

第３学年　公民科（倫理）学習指導案

2021年10月21日（木）４校時
担当学級：２年３組　計32名
授業者：実習生　○○　○○

１．単元名　第２編　人間の生き方と社会のあり方
第２章　日本の思想の歩み　第５節　近代日本の模索

２．単元の目標

・日本思想の歩みにおいて先人が唱えた哲学の内容を理解する。

・古来の日本人の考え方や日本の先哲の考え方を手掛かりとして人間の生き方や社会のあり方について考察する。

・日本人に見られる人間観、自然観、宗教観などの特質について理解すると同時に日本人としての在り方生き方について多面的、多角的に考察し、その過程や結果を適切に表現できる。

３．指導に当たって

（１）単元について

日本の思想の歩みを、日本の自然と日本神話、仏教の受容と展開、近世の道徳、幕末から近代国家への移行、近代日本の模索、そして世界大戦とその後の日本という区切りで学習する。日本思想の歩みを学びことで、日本人に見られる人間観、自然観、宗教観などの特質について理解させ、日本人としての在り方生き方について多面的・多角的に考察議論させる。

（２）生徒の実態

本学級の生徒たちは、活発に意見を述べる。しかし、活発な生徒は一部に限られており、他の生徒は意見を聞いて反応するが、自ら議論しようとしない。本授業では、多くの生徒たちが議論に参加できるように、グループ学習を多く取り入れたい。

（３）指導について

本授業では、柳田国男の『遠野物語』だけでなく、折口信夫、南方熊楠、柳宗悦の具体的な作品の一部を示し、民衆からみた日本人について考察させたい。

４．単元の評価規準（ここでは、○知識・技能 、○思考・判断・表現、○主体的に学習に取り組む態度、からの評価規準を記載する～省略）

５．単元の指導計画（小単元　第５節近代日本の模索）（全６時間）

第１次　近代の受容
第２次　キリスト教徒と日本人
第３次　民族主義の台頭
第４次　近代日本の社会問題
第５次　日本の哲学
第６次　民衆からみた日本人のあり方（本時）

6．本時の実際

（1）題材名　「民衆からみた日本人のあり方」

（2）本時の目標

・『遠野物語』の一節を読むことで、柳田国男が日本人の古来からの価値観や信仰心などを明らかにしようとし、民俗学という視点を確立したことを理解させる。

・折口信夫、南方熊楠、柳宗悦の作品の一部を紹介し、それぞれどのような思想的な背景があったのかを考察させる。

・民衆からみた日本人のあり方についてもっとも共感できる先人を考察し議論する。

（3）準備物　柳田国男『遠野物語』、折口信夫『死者の書』、南方熊楠と柳宗悦の作品を紹介するワークシート

（4）本時の展開

段階	学習活動と主な発問（●予想される生徒の反応）	指導上の留意点
導入 10分	・柳田国男『遠野物語』の中の「遠野」とは現在の「遠野市」を指す。訪問したことある人？ ・遠野にはどんな伝説があるのだろうか。 ●河童、座敷わらし、オシラサマ。 ［柳田国男らが示した日本人のあり方とはどのようなものか。］	・遠野市の位置を地図上で示す。また、風景を紹介する。 ・河童、座敷わらし、オシラサマについて説明する。
展開 1 20分	・柳田国男『遠野物語』の一節を読む。 ・一節を読んで何を感じ考えたか。 ●地方の農村部の伝説に興味を惹かれた。 ●今でも興味を惹かれる。日本古来からの民衆の伝説を人々に紹介した。 ・柳田はなぜ『遠野物語』を整理し出版したのだろうか。その意図は何だろうか。 ●近代化とは別の山村に住む日本人の古来からのあり方を示そうとした。	・各自黙読させる。時間をとりじっくり読ませる。 【知識・技能】 ・意見がでないときは、教科書記述に注目させる。 【思考・判断・表現】
展開 2 15分	・折口信夫、南方熊楠と柳宗悦が示そうとした日本人のあり方とは何だろうか。 ・折口の『死者の書』の一節を読む。 ・南方、柳の作品を見る。 ・折口、南方、柳の特色について説明を聞き、まとめる。 ［自分がもっとも共感できる先人はだれか。］	・それぞれの先人の特色をまとめた後に、日本人のあり方について考察させ、発表させる。 【思考・判断・表現】 ・ペア、グループ ・理由も答えさせる。
まとめ 5分	・柳田らの先人は、近代化に抗して生きる日本人としての価値観や信仰心に注目し、民衆としての日本人のあり方を大事にしたことを説明する。	・共感できる内容に民衆としての部分を取り出し、説明の参考にする。

（5）評価　・柳田国男が日本人の古来からの価値観や信仰心などから、民俗学という視点を確立したことを理解したか。・折口信夫、南方熊楠、柳宗悦の作品にはどのような取り組みのねらいがあったのかを考察したか。・民衆からみた日本人のあり方について考察し議論できたか。

≪発展≫指導案をもとにして、テーマを決めて正案を書いてみよう。

10 学習指導案の要諦（細案）

学習指導案の細案とはどのようなものなのだろう。

研究授業や公開授業のために発問や指示、説明を詳細に記入したシミュレーション用の学習指導案を、「細案」と呼ぶ。正案との違いは、「6．本時の実際」の「（4）本時の展開」の部分である。そのため、「（4）本時の展開」だけを次に紹介する。

第３学年　公民科（倫理）学習指導案

2021 年 10 月 21 日（木）４校時
担当学級：２年３組　計 32 名
授業者：実習生　○○　○○

1．単元名　第２編　人間の生き方と社会のあり方
第２章　日本の思想の歩み　第５節　近代日本の模索
2．単元の目標　略
3．指導に当たって　略
4．単元の評価規準　略
5．単元の指導計画（小単元　第５節近代日本の模索）（全６時間）略
6．本時の実際
（1）題材名　「民衆からみた日本人のあり方」
（2）本時の目標　略
（3）準備物　略
（4）本時の展開

段階	学習活動と主な発問（●予想される生徒の反応）	指導上の留意点
導入 （ 10 分）	・柳田国男『遠野物語』の中の「遠野」とは現在の「遠野市」を指す。 ・何県ですか？ ・訪問したことある人？ ・遠野市の観光資源を写真で見せる。 ・遠野にはどんな伝説があるのだろうか。 ●河童、座敷わらし、オシラサマ。 ・『遠野物語』には、これらの伝説が記されている。 ・柳田は『遠野物語』で何を示そうとしたのか。 ●日本古来の日本人の姿かな。山村部で暮らす人々の生活を示そうとした・ ［柳田国男らが示した日本人のあり方とはどのようなものか。］	・遠野市の位置を地図上で示す。また、風景を紹介する。 ・訪問したことのある生徒がいたら、印象を語ってもらう。昔からの伝説に注目させる。 ・河童、座敷わらし、オシラサマについて写真を見せる。それをもとに説明する。 ・生徒個人で予想させる。 ・学習課題を板書する。

展開1(20分)	・では、実際に柳田国男『遠野物語』の一節を読んでみよう。 17・18 ザシキワラシ、55-59 河童、69 オシラサマを黙読する。 ・一節を読んで何を感じ考えたか。 ●地方に伝わる農村部伝説に興味を惹かれた。 ●今でも興味を惹かれる。河童の伝説は面白い。 ●私もザシキワシに会ってみたい。 ［・柳田はなぜ『遠野物語』を整理し出版したのだろうか。その意図は何だろうか。］ ・『遠野物語』のすべての題目を示して、4人グループで考察させる。 ●近代化とは別の山村に住む日本人の古来からのあり方を示そうとした。	・各自黙読させる。時間をとりじっくり読ませる。 【知識・技能】 【思考・判断・表現】 ・意見がでないときは、教科書記述に注目させる。
展開2(15分)	・教科書に掲載されている柳田と同じく日本人のあり方を考察した先人を3人紹介する。 ［・折口信夫、南方熊楠と柳宗悦が示そうとした日本人のあり方とは何だろうか。］ ・折口信夫『死者の書』を漫画化した近藤ようこの作品（2015年）を最初に示し興味関心を持たせる。 ・折口の『死者の書』の一節を黙読させる。 ・一節を読んで感じ考えたことは何か？ ・南方、柳の作品に関する資料をスライドで紹介する。 ・スライドを見て感じ考えことはなにか。 ・キーワードをもとにして、3人が示そうとした日本人のあり方とは何かについて議論する。 ●日本古来の伝統美を追い求めようとした。 ●農村部における日本人の暮らしの美を民衆の立場からとらえなおそうとした。 ・折口、南方、柳の特色について説明を聞き、まとめる。 ［自分がもっとも共感できる先人はだれか。］	・それぞれの先人の特色をまとめた後に、日本人のあり方について考察させ、発表させる ・数人を指名する。発表のキーワードを板書する。 ・数人を指名する。発表のキーワードを板書する。 【思考・判断・表現】 ・ペア、グループ ・理由も答えさせる。 ・教科書記述に着目させる。 ・理由をつけて、それぞれ生徒に発表させる。
まとめ(5分)	・柳田らの先人は、近代化に抗して生きる日本人としての価値観や信仰心に注目し、民衆としての日本人のあり方を大事にしたことを説明する。 ・柳宗悦は朝鮮植民地化の状況において、朝鮮の陶芸についても、その美しさを日本人に紹介したことも説明する。	・共感できる内容に民衆としての部分を取り出し、説明の参考にする。 ・柳宗悦の朝鮮陶磁器に関する記事を紹介する。

（5）評価　略

≪**発展**≫教科書の中のテーマをもとに、細案を書いてみよう。

11 授業づくりと教材づくり

公民科の授業づくりにおいて、教材をどのように選定し、作成したらよいのだろうか。

公民科の授業は教材研究の深さによって左右される。教える側は、教科書レベルや資料集レベルの知識だけでは不十分である。まずは、教科書に記されている教育内容を教師は深く認識しなければならない。そのためには、社会諸科学の成果を活用していくことが求められる。次は、研究授業に向けて取り組んだA先生の教材研究の方法である。

【資料1】教材研究における社会諸科学の成果の活用（A先生の経験談）

① 文献資料を読む。（とにかく本を読む）

大正時代の文献を読みあさった。その中で、関東大震災の最中に朝鮮人や中国人、社会運動家、労働運動指導者が殺害されたことを知る。なぜ、大震災の最中に起こったのか。なぜ、朝鮮人や中国人、社会運動家や労働運動指導者だったのか。その疑問が研究授業のテーマになっていった。

② 映像を見る。

南アフリカ共和国で行われていたアパルトヘイトを教えるために映画『遠い夜明け』を見た。授業でその一部を見せて、具体的に教えることができた。

③ インターネットを活用する。

アメリカの大統領選挙を教えるために、インターネットで選挙結果や選挙のしくみを学び、その資料の一部を教材化した。

④ 先行実践を調べる。まねる。

安井俊夫『歴史の授業108時間上下』を参考にして、実際に授業を行った。やっていくなかで、授業の流れや発問の大切さを学ぶことができた。同時に、授業がうまく流れるところと全然ダメなところがあることが分かった。生徒たちの状況や地域の実態を踏まえて、授業づくりを考え直すきっかけとなった。

教育内容についての認識を深めたら、次は授業レベルで考えていく。最終的な到達目標を設定し、授業のなかでどこを重点的に教えていくか、授業構想を練っていく。その際に教育内容を生徒たちに理解させる上で必要となるのが、教材である。授業は教材で決まると言われるが、教師がどのような教材を準備するかによって、授業が豊かなものになるかの試金石となる。

たとえば、倫理で学ぶことになっている「イスラーム教」について、みなさんはどのような教材を準備したいと考えるだろうか。教科書では、「イスラームの成立」「『クルアーン』とイスラームの教え」「ムスリムの宗教生活」「イスラーム文化の広まり」等が内容の要素となっている。次の学生のアイデアを読んで、最適だと思うものを選んでみよう。

【資料2】イスラーム教を教えるために準備した教材
学生A：私は東京都の渋谷にあるモスクの写真を準備する。東京ジャーミイと呼ばれるもので、日本最大のイスラーム教寺院である。お祈りの場面の写真などを見せることで、イスラーム教が遠い世界の話しではなく、日本にも信者がいることを伝えたい。
学生B：私はイスラーム教に改宗した日本人の一人を紹介したい。ユーチューブの映像を利用して、その日本人の生活に注目させ、六信五行の一部に注目させる。六信五行が厳しい決まりという見方だけではなく、正しく幸せな生き方を求めるためにあるのだとコメントする日本人の発言を生徒たちに聞かせたい。
学生C：私はイスラームが持つイメージとして広がりつつある「暴力的で怖い」という認識を変えたい。そのために、『クルアーン』の記述のいくつかを準備して、それを読み解くなかで、イスラーム教を信じるものが救われるということや他者に献身することがより良い来世につながっていくことを教えたい。けっして暴力を肯定しているものでないことを強調したいと思っている。
学生D：私は新聞記事を利用して、イスラーム教徒でエジプト出身の関取大砂嵐を紹介したい。すでに引退したが、断食をしながら大相撲で活躍していた。日本の伝統的な格技である相撲においても、イスラーム教信者がいることを伝えることで、生徒たちは興味関心を持って多文化共生について考えていけるのではないかと考える。

正解は特にない。大事なのは、教育内容に関する教材を準備するにおいて、教員サイドのねらいや意図がはっきりしていることと、生徒たちの目線に立って教材を分析する力だと思われる。次のような視点で教材を準備することが求められよう。

【資料3】授業づくりにおける教材選定の視点
a　教育内容に重なっていく教材であったか。 b　発達段階を踏まえた教材であったか。 c　生徒たちにとってわかりやすい教材であったか。 d　生徒たちの興味関心をひきおこす教材であったか。 e　その教材使用に教員の意図がうまく反映されているか。

教材研究に力を入れることは言うまでもないが、教材の選定や作成まで視野に入れた授業づくりが求められている。教科書に記されている太字の重要語句をただ漫然と教える授業は平板なものになってしまい生徒にとっておもしろみに欠けるものになってしまう。教材を準備し、教育内容にメリハリを付けて授業づくりを行っていくことが求められよう。

≪発展≫「教材選定の視点」を参考にして、教科書のテーマに沿った教材を準備してみよう。それをグループで検討してみよう。

12 新聞活用の方法

公民科の授業では、新聞をどのように活用したらよいのだろうか。

教育基本法第 14 条１項にある政治的教養を培うために、公民科教員は政治的事象を取り扱い、具体的で実践的な指導を行っていかなければならない[1]。また学習指導要領では、公民科目標の資質能力育成において、「諸資料から様々な情報を適切かつ効果的に調べまとめる技能を身に付ける」ことなどが要請されている。それらにおいて、効果的な教材活用の一つが新聞記事である。教育における新聞活用については、これまでＮＩＥ（Newspaper in Education）が大きな役割を果たしてきた。

では、どのように活用したら良いのだろうか。次の学生が考えた事例から、自分だったらどのような活用を考えるか、一つ選び、議論してみよう。

A【導入段階で興味関心を高めるために活用する】 選んだ記事：①山陽新聞 2011. 8. 26「岩手で活動始める」②毎日新聞 2012. 8. 23「岩手へボランティア続々」③産経新聞 2018. 6. 23「震災経験役立てたい―熊本のボランティア団体が現地で汗、④毎日新聞 2018. 6. 24「被災地、助け合いの輪　終末、各地からボランティア」 （公共　A公共の扉　（1）公共的な空間を作る私たち） ・直近に起こった④の新聞記事を授業の導入に位置づけ、自分のボランティア体験と重ね合わせて、公共的な空間におけるボランティア活動の意義について興味関心を持たせる。展開において教科書記述内容の教師側説明の後、すべての新聞記事を全員に配布し読ませた後、「公共空間におけるボランティア活動の意義」についてグループで議論させ、発表させる。
B【記事内容の空欄に適切な語句内容を考察させる】 選んだ記事：すべて 2018. 6. 7 付け　①河北新報「父親に（懲役 19 年）仙台地裁「分別に欠けた犯行」、朝日新聞「放火の夫に（懲役 19 年）地裁判決宮城母子３人死亡」、毎日新聞「母子３人死亡夫に（懲役 19 年）宮城の放火、地裁判決」 （政治・経済　「現代の政治：裁判所と司法」） ・実習先の学校がある地域の刑事事件を取り上げ、身近な問題としてとらえさせようとした。この授業では、裁判員制度について理解させようと考え、裁判員制度による判決を取り上げた。授業の展開で裁判員制度の教師説明の後、記事の（　　）に入る判決内容をグループで考察させ、発表させる。発表後、実際の判決を示し、裁判員が関わっても判決内容に認識の差があることを理解させようとした。
C【記事を読ませ、記事内容をもとにして、テーマで整理させる】 選んだ記事：①毎日新聞 2018. 1. 25「体細胞クローン猿」②毎日新聞 2009. 1. 20「クローン牛『食用安全』解禁には課題多く」③朝日新聞 2016. 3. 10「クローンでよみがえれ」④朝日新聞 2017. 2. 23「ヒト臓器動物から作る」 （公共　A公共の扉　（1）公共的な空間を作る私たち）

・科学技術の発展によって、クローン技術やiPS細胞などの応用による革新的医療も期待されている一方、様々な課題（ここでは倫理的問題）があることを理解させようとした。授業では導入で選定した記事を示し、概要を紹介して興味関心を抱かせようとした。展開では、教科書の内容の概要をおおまかに説明し、選んだ新聞記事をじっくり読ませた。クローン技術やiPS細胞などを応用することのメリット・デメリットを記入するワークシートを配布し、各自で作業をさせた。その後、グループでワークシートを確認させ、理解させようとした。

D【教科書内容を具体的にわかりやすくする】
選んだ記事：①2018. 6. 2 毎日新聞「米朝、大きく進展」②2018. 6. 2 読売新聞「米朝会談へ『実質的進展』」
（公共　A公共の扉　（1）公共的な空間を作る私たち）
・現在のアメリカと北朝鮮との外交関係について生徒たちに理解させるために二つの新聞記事を利用可と考えた。導入では、北朝鮮について知っていることを生徒たちに挙げさせ、興味関心を高めた後、教科書内容の東西冷戦とその後について、教師側で詳細に説明した。説明の後、現在の朝鮮半島をめぐる情勢として、選んだ記事を紹介し、アメリカと北朝鮮の時事的な動きについて解説を加え、学習内容がより深く豊かになるように新聞記事を利用した。

E【記事内容をもとに、議論の材料にする】
選んだ記事：①毎日新聞 2017. 12. 3「国保の財政運営　赤字脱却へ都道府県主導」②朝日新聞 2017. 7. 26「高齢者医療・介護８月から負担増」③毎日新聞 2017. 8. 6「在宅ケア求められる安心」
（政治経済「社会保障制度の現状と課題」）
・現在の日本の介護の問題、政府の推奨しようとしている方針を理解させようと考えた。導入では日本の高齢社会の現状を説明した。展開ですべての新聞記事を示し、その中からどのような介護の状況があるかを各グループで抽出させ、発表させた。最終的に高齢者の介護問題についてどうすればよいかについて議論させた。

新聞記事の活用法もＡ～Ｅの事例を見れば分かるように多様なものがある。まず、準備する新聞記事は公平性という観点から１社ではなく数社がよい。

授業のどこで活用するか。導入段階で生徒たちの興味関心を高めるために活用する方法が一つある。事例ではＡ、Ｃがそれにあたる。

展開部分で、教科書の内容を具体的にわかりやすいものにするために、新聞記事を利用する方法もある。事例ではＤが該当する。また、新聞記事をまとめて読ませ、その記事内容をもとにして、さまざまなテーマで整理させたり（事例Ｃ）、議論の材料にする（事例Ａ、Ｅ）こともできる。事例Ｂのように記事内容を空欄にし、適切な内容を考察させる工夫を図ることも可能となる。

≪発展≫新聞記事を調査して選び出し、自分なりの新聞活用事例を具体的に作成してみよう。

---

[1] 文部科学省「高等学校等における政治的教養の教育と高等学校等の生徒による政治的活動について（通知）」2015年10月。

13 アクティブ・ラーニング

文部科学省が推進するアクティブ・ラーニングの真のねらいは何か。

アクティブ・ラーニングという言葉は、人口に膾炙した。実際に高校現場ではどのような活動が行われているのだろうか。2017 年のアンケート調査の分析では[1]、次の5つが類型化されている。どの活動が多いと考えるか。

【資料１】高等学校におけるアクティブ・ラーニング　実態調査(2017)
①探究活動型―個人やグループでテーマを調べる活動、教員が生徒にテーマを与えて調べたり、生徒が自分のテーマを設定して調べる活動、図書館などで書物や論文などの資料を調べたり、コンピューターなどの機器を用いて調べる活動。 ②社会活動型―博物館など学校外の施設で調べる活動、実験室などでの実験や観察、インタビューや観察、アンケート調査をして調べる活動、地域の課題解決やボランティアなど、地域の人の役に立つ活動、外部講師による講演や活動、自然体験・社会体験活動、他校の生徒や地域の人など学校外の人との交流活動。 ③意見発表・交換型―ディベート、ディスカッション、プレゼンテーション、ブレインストーミング。 ④理解深化型―学習について自分で客観的にふりかえる活動、データの整理・分析レポートなどのまとめ活動、まとめプリントや壁新聞の作成、教員による思考の活性化を促す説明や解説。 ⑤芸術・創作活動型―演劇やダンス、音楽や美術、写真や映像。

上記の中で実際に割合が高いのは「③意見発表・交換型」と「①探究活動型」「④理解深化型」である。公民科でも同様の傾向が見られる。

しかし、なぜ文部科学省はアクティブ・ラーニングを推進するのか。

文部科学省がこの言葉をはじめて本格的に使用したのは、大学の授業改革においてである[2]。そこでは次のように記されている。

【資料２】中央教育審議会答申(2012)
生涯にわたって学び続ける力、主体的に考える力を持った人材は、学生からみて受動的な教育の場では育成することができない。従来のような知識の伝達・注入を中心とした授業から、教員と学生が意思疎通を図りつつ、一緒になって切磋琢磨し、相互に刺激を与えながら知的に成長する場を創り、学生が主体的に問題を発見し解を見いだしていく能動的学修（アクティブ・ラーニング）への転換が必要である。すなわち個々の学生の認知的、倫理的、社会的能力を引き出し、それを鍛えるディスカッションやディベートといった双方向の講義、演習、実験、実習や実技等を中心とした授業への転換によって、学生の主体的な学習を促す質の高い学士課程教育を進めることが求められる。学生は主体的な学修の体験を重ねてこそ、生涯学び続ける力を習得できるのである。

そのねらいは、「主体的で能動的な学修」を学生に習得させようとする意図が見えている。一方通行型の講義形式の授業だけではその習得がむずかしいと判断しているのである。

では、なぜこの時代に「主体的で能動的な学修」が求められているのか。それは経済界の必要とする人材育成との関連が深い。グローバル化が進む中、企業経営においては、入社後に企業が人材を再教育する余裕はなく、大学教育において人材育成が期待されるようになってきた。

以上の大学教育の動きが、小学校から高校までの教育方法に大きく影響することになる。小中高では、「アクティブ・ラーニング」という言葉は使用されず、「主体的で対話的な深い学び」に変わっていく。これは、2007 年学校教育法改正によって第 30 条に「①個別の知識・技能、②思考力・判断力・表現力、③主体的な学習意欲・関心・態度」が学力の三要素として示され、2018 年の学習指導要領においては、この三要素のもとで、「資質・能力」が規定された。その中では、「何を知っているか、何ができるか」（個別の知識・技能）だけではなく、「知っていること・できることをどう使うか」（思考力・判断力・表現力）、そしてさらに「どのように社会・世界と関わり、よりよい人生を送るか」（主体性･多様性･協働性、学びに向かう力、人間性 など）がその柱になっている。どのように学ぶかが重視され、「アクティブ・ラーニングの視点からの不断の授業改善」が求められるようになった。

思考力・判断力・表現力といったコンピテンシーや活用型学力重視の教育政策は、ＯＥＣＤ（経済協力開発機構）に加入する国や地域を中心に行われるＰＩＳＡ調査でもそうであるが、国際基準（グローバル・スタンダード）になっていると言われる。先進国では共通してコンピテンシー重視の学力モデルへ転換を進めている。日本も他の先進国に人材として負けないよう、その教育政策推進のためにアクティブ・ラーニングを導入しているのである。

≪発展≫アクティブ･ラーニングの公民科授業実践を調査してみよう。また、アクティブ・ラーニングの場面を取り入れた学習指導案を書いてみよう。

≪参考文献≫小針誠『アクティブ・ラーニング』講談社現代新書、2018 年。

---

[1] 木村・村松・田中・町支・渡邉・裴・吉村・高崎・中原淳「高等学校におけるアクティブラーニングの視点に立った参加型授業に関する実態調査 2017　報告書」2018 年。

[2] 中央教育審議会答申「新たな未来を築くための大学教育の質的転換に向けて～生涯学び続け、主体的に考える力を育成する大学へ～」2012 年。

14 討論の技法

討論の技法であるトゥールミン・モデルを利用して議論してみよう。

トゥールミン・モデルとは、1958 年にスティーブン・トゥールミン（Stephen Edelston Toulmin）が『議論の使用』において提示した議論の図式である。多様な分野において活用されてきたが、社会科でも社会的な論争を内容とする「議論」を方法原理とする授業では「トゥールミン図式を利用していること」が共通の特質となってきた[1]。トゥールミン図式とは次のようになる。

【資料１】トゥールミン図式

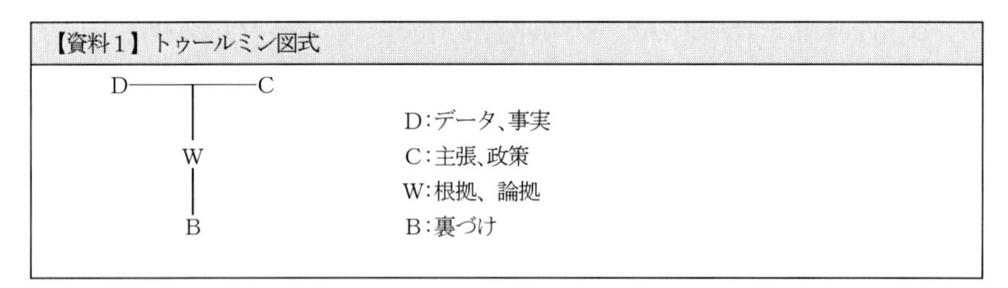

図式を見て分かるように、トゥールミンでは、D（データ・事実）をもとにして、価値判断や意思決定のもと、C（主張、政策）を行う。その際に、W（根拠や論拠）になるものを示し、B（裏づけ）によって実質的に根拠づけ、正当化することになる。

【資料２】トゥールミン・モデルによる議論の事例
新型コロナウィルス感染拡大防止として国の政策はどうすべきか。
ア：12 月に入り全国で新型コロナウィルス感染拡大が続き、一日 2500 人以上が感染者として報告されている（D）。 そのため、政府は非常事態宣言を再度発出すべきである（C）。 ３月の非常事態宣言によって、人々の新型コロナ感染防止に対する意識は高まり、不要不急の外出を自制するようになった（W）。 そのため、感染者は激減し、重症患者も減り、多くのいのちが救われた（B）。
イ：12 月の新型コロナ感染者の拡大は続いているが、飲食店の倒産企業数は増加し、失業者も増えている（D）。 そのため、政府は経済活動を考えた感染防止策をとるべきである（C）。 Goto トラベルなどの経済活動を考えた政策によって、冷え込んだ経済活動は回復基調にあり、企業も業績を回復させ、感染防止と経済活動の両立が図られた（W）。 日本総研の 10 月の報告では、景気動向指数は上昇し、小売や宿泊・飲食サービスなど消費関連を中心に持ち直してきている（B）。

事例は「新型コロナウィルス感染拡大防止のために国の政策はどうすべきか」というテーマでのトゥールミン・モデルを利用した議論の内容である。アは「政府の再度の非常事態宣言発出」を主張し、イは「経済活動を考えた感染防止策」を主張（C）している。それぞれデータをもとにして(D)、主張しており、その根拠（W）が示されている。また、根拠を裏づけ正当化する（B）内容も示されている。

では、次のテーマについて、トゥールミン・モデルを参考にして、自分なりに図式を作成してみよう。

テーマ：原子力発電所について国の政策はどうすべきか。
D:
C：
W:
B:

どのような内容を記入したであろうか。池野は「現実の議論は、一単位の議論から複数の議論を生み出し、その議論間の討論を経て、いずれかの議論に収束されたり、留保条件がつけられたり、いくつかの議論間において妥協点が見つけられたり、あるいは、全く別の新たな議論がつくられることもある。」と述べる。また、「議論することによって、現実の諸問題やテーマがこれまでとは違ったものへ変化し、さらに、共通で共有された秩序世界を新たに作り出す」と言う。

討論の技法であるトゥールミン図式を活用することで他者の意見を分析させ、社会認識形成や市民的資質育成の方法としての議論を用いた授業が公民科では必要とされている。

≪発展≫トゥールミン図式を作成して議論してみよう。

---

[1] 池野範男「市民社会科の構想」社会認識教育学会編『社会科教育のニュー・パースペクティブ』明治図書、2003年、44～53頁。

15 対立する権利

社会が求めている安全な生活と対立する権利にどのようなものがあるか。

『高等学校学習指導要領（平成30年告示）解説 公民編』(2018年）では、「公共」の大項目「C持続可能な社会づくりの主体となる私たち」で、「課題の探究に当たっては、『個人を起点として、自立、協働の観点から、多様性を尊重し、合意形成や社会参画を視野に入れながら探究できるよう指導すること』」「その際、例えば、地域の安全を目指した公共的な場づくりや…」と示している。大項目Cは、「これまでの大項目で習得した知識や技能を活かした学習」として位置づけられており、一層創意工夫した授業展開が求められる。そこで、「地域の安全を目指した公共的な場づくり」に関する課題に目を向ける学習として、防犯カメラの設置を問う授業づくりを考えてみよう。

近年、登下校中の児童生徒の尊い命が奪われたり、ＳＮＳ利用による犯罪被害が増加したりするなど、児童生徒の安全に関する環境は大きく変化している。このような状況の中、安全安心な街づくりのために、自治体や警察だけでなく、家庭用の防犯カメラ等も積極的に設置するようになっている。防犯カメラの設置は、「地域の安全を目指した公共的な場づくり」として、どのような効果があるのか、また、逆にどのような問題点があるのか、そして、効果や問題点から生じる対立する権利を調整するにはどうしたらよいのか等を考える授業を構築したい。

【資料１】「防犯カメラの設置を問う授業」の導入段階の発問例

Ｔ：公園や商店街など公共の場所に、防犯カメラが必要でしょうか。設置の是非について、みなさんは、どのように考えますか。
Ｔ：まず、防犯カメラ設置の目的やよさはどんなことですか。
Ｓ：犯罪の防止や、犯罪が起きたときの解決につながることです。
Ｔ：では、問題点はどんなことでしょうか。
Ｓ：知らないうちにカメラにとられていて、プライバシーが守られないことです。
　：カメラに管理されているような感じになることです。
Ｔ：では、安全でもあり、安心な公共の場をつくるにはどうしたらいいのでしょうか。今回は、防犯カメラ設置を例に考えてみましょう。

導入段階では、防犯カメラ設置について、安全管理や犯罪の抑止力、事件の解決につながる等の効果、逆に、プライバシーの権利や肖像権等の問題点について確認する。

展開の前半段階では、効果や問題点を踏まえ、防犯カメラの設置の賛成派と反対派で討論をする活動を取り入れる。次に、後半段階では、対立する権利を調整する方策として、資料「市川市の防犯カメラの適正な設置及び利用に関する条例」[1]を紹介し、なぜこのような条例が必要なのか考えさせる。

【資料２】防犯カメラの適正な設置及び利用に関する条例（第１条及び第５条の抜粋）
第１条 この条例は、公共の場所に向けられた防犯カメラの適正な設置及び利用に資するため、当該防犯カメラを設置するものの遵守すべき義務等を定め、もって当該防犯カメラの有用性に配慮しつつ、市民等の権利利益を保護することを目的とする。 第５条 防犯カメラ設置者及び防犯カメラ管理責任者（以下「防犯カメラ設置者等」という。）は、設置利用基準を遵守しなければならない。 ２ 防犯カメラ設置者等又は防犯カメラ設置者等であったものは、画像から知り得た市民等の情報を他に漏らしてはならない。 ３ 防犯カメラ設置者等又は防犯カメラ設置者等であったものは、次に掲げる場合を除くほか、画像を防犯カメラの設置目的以外の目的に利用し、又は第三者に提供してはならない。 （１）画像から識別される特定の個人（以下「本人」という。）の同意がある場合 （２）法令に基づく場合 （３）市民等の生命、身体又は財産に対する危険を避けるため、緊急やむを得ないと認められる場合 ４ 防犯カメラ設置者等は、画像を保存する場合には、当該画像を加工してはならない。 ５ 防犯カメラ設置者等は、画像の漏えい、滅失又はき損の防止その他の画像の安全管理のために必要な措置を講じなければならない。 ６ 防犯カメラ設置者等は、本人から、当該本人が識別される画像の開示を求められたときは、本人に対し、当該画像を開示するよう配慮しなければならない。 ７ 防犯カメラ設置者等は、その取り扱う防犯カメラの設置及び利用並びに画像の取扱いに関する苦情があったときは、それを適切かつ迅速に処理するよう努めなければならない。

この条例は、「防犯カメラの有用性に配慮しつつ、市民等の権利利益を保護することを目的」としている。つまり、安全安心な社会を目指しつつも、プライバシーの権利を尊重しようとするものである。防犯カメラで撮影された映像も、特定の個人が識別できる場合は、「個人情報」に該当する[2]。「個人情報の保護に関する法律」（通称「個人情報保護法」）は、利用目的の特定（第15条）や、不正の手段による個人情報の取得の禁止（第17条）を規定している。

防犯カメラは、監視カメラとも言われる。終末段階では、監視し合う社会についてどう考えるのか、また、対立する２つの権利をどのように調整するのか、生徒にさらに議論させるような展開も可能である。

≪発展≫このように防犯や防災など安全の確保と対立する権利の問題について、具体的事例を調べてみよう。

---

[1] 市川市防犯カメラの適正な設置及び利用に関する条例、平成17年3月30日、条例 第7号。

[2] 消費者庁「よくわかる個人情報保護のしくみ（改訂版）」2015年。

16 ディベート学習

事前学習と事後学習を設定して、ディベートをディベート学習に！

ディベートについては、他教科や総合的な学習、特別活動においてもその手法が活用され実践が積み重ねられてきたので、小中高の時に経験している読者も多いことであろう。

実際にディベートをやってみると、授業者としてどのようなことを感じるだろうか。いつもは静かに机上で学習していた生徒たちが、生き生きと活動的に自分たちの主張を述べようとする姿に驚くことであろう。ディベートは、討論や議論を授業で活用したいと思っていた教員にとっては、まさしく「主体的・対話的で深い学び」の実現のためにアクティブ・ラーニングの視点に立った授業改善につながるのである。

公民科においても、「公共」の課題探求学習では、「ディベートの形式を用いて議論を深め，自らの考えや集団の考えを発展させたりする方法」として、紹介されている。次の具体的な実践例（新福悦郎[1]）をみてみよう。

【資料】実践例－論題「在宅介護か、施設介護か」

ねらい：高齢者福祉の問題を課題になっている介護の視点から追求する。

1．指導計画

・体験学習―特別養護老人ホームの見学、一人暮らしの高齢者宅訪問

第１次　高齢社会の概要

第２次　在宅介護と施設介護の現状と課題

第３次　ディベート「在宅介護か、施設介護か」

第４次　高齢者福祉についてどう考えるか。（レポート作成）

2．ディベート授業の実際の流れ

（立論）

在宅介護：施設の数が少ない。高齢者の本音はどうなのか。高齢者は住み慣れた家で暮らしたい。施設だと寝たきりになる可能性がある。家族と触れ合うことが多い。在宅でも支援サービスは多い。

施設介護：衛生的である。在宅では介護がまだ不十分。施設はリハビリが充実している。専門的な介護がある。看護師や医師との連絡連携が良い。施設が充実していて入浴も楽である。在宅では移動が困難。

（反対尋問）

在宅→施設：在宅にも支援システムがある。介護保険制度でヘルパーによる介護が充実してきている。在宅でもヘルパー利用で衛生的に過ごせる。

施設→在宅：自分の親に充実した医療施設で長生きしてほしいと思わないのか。施設の数も今後充実していく。

（最終弁論）
在宅：介護保険制度の充実で、在宅での介護が可能になってきている。高齢者は慣れ親しんだ自宅での介護を希望する。支援サービスで在宅でも医療機関と連携をとれる。
施設：安心安全な場所での介護が望まれる。医師や看護師との連携がとれ、もしもの時の対応もすぐにできる。入浴や食事なども専門的なケアを受けて充実した生活を送ることができる。

上記の事例では、ディベートを中心に据えながらも、事前学習で２時間の授業が計画され、その中で高齢者福祉の介護をめぐる現状や課題について学んでいる。さらに体験学習として、特別養護老人ホームの訪問や一人暮らしの高齢者宅を訪問している。また、ディベート後は、レポート課題を作成する時間を設定し、単元を振り返り、思考し表現する時間を準備している。

このようにディベートだけでなく、ディベートの前後に論題についての学習内容を学んだり、まとめたりするディベート学習によって、本実践はより深い学びになっていると考えられる。

たしかに、論題に対する生徒たちの調査力、立論や反対尋問などを通して発言力や表現力などについてディベートでは育成することができる。同時に、論題に対する社会認識の形成や深化が可能となり、ディベートを通してのテーマに対する知識獲得と認識の育成が実現できるのである。しかし、そのためには、ディベートまでの事前学習、および授業後の事後学習が重視されていく必要がある。つまり、ディベートという討論ゲームを契機とした生徒たち自身の主体的な学習によって、社会認識の形成深化を目指すディベート学習が必要である。

ディベートを活用するに当たっては、何よりも適切な論題設定が重要となる。二つの命題を同時に扱ったり、内容があいまいなもの、人権侵害に関連するもの、片方の主張が圧倒的に有利なものについては、論題として不適切なものとして授業者は判断しなければならない。そして何よりも留意しなければならないことは、学習内容が二元的な視点からとらえられ、単純化されるというディベートの課題である。また、二元化することで、主張が公平化されてしまう危険性がある。ディベートについての可能性と課題を授業者は認識し、論題を設定することが求められる。

≪発展≫ディベートの実践例をリサーチし、ディベート学習の要素となる事前学習、事後学習がどのように計画されているか調査してみよう。

[1] 新福悦郎「高齢者福祉と子どもたちの認識」『歴史地理教育』527 号、1994 年、90～97 頁。

17 模擬選挙

模擬選挙を実践するためにはどうすればよいのか。

2018 年学習指導要領公民科解説編では、科目「公共」における「B自立した主体としてよりよい社会の形成に参画する私たち」に模擬選挙の取り組みが記され要請されている。また、「政治経済」では、その内容に「（1）現代日本の政治・経済」があり、「主権者としての政治に対する関心を高め、主体的に社会に参画する意欲をもたせるよう指導する」ことが求められている。

「模擬選挙」がクローズアップしたのは、18 歳選挙権を認めた改正公職選挙法が2015 年に成立してからである。選挙の仕組みや有権者になる意義を理解させ、若者の低い投票率を改善し社会参加を求めようとする取り組みとして注目された。総務省と文部科学省の連携により作成された『私たちが拓く日本の未来』という副教材では、模擬選挙が学校現場で実践されることが要請されている。一方で、文部科学省は2015 年 10 月に「高等学校等における政治的教養の教育と高等学校等の生徒による政治的活動について（通知）」を出し、「政治的教養の教育に関する指導上の留意点」を説明している。（関連テーマ：18 政治的教養と政治的中立性）

『私たちが拓く日本の未来』の中では、模擬選挙の具体的な実践が紹介され、架空の候補者に対して選挙をする例と実際の選挙に合わせて、比例代表の政党を選ぶ実践が紹介されている。模擬選挙のやり方については、後者は、①事前学習（ア 選挙の意義を考えよう。イ 投票の基準をグループで考えよう。ウ ニュースを見たり、選挙公報を読んだりしよう。）、②投票（教室に再現された投票所で実際に投票してみよう）、③開票（実際の選挙の当選人確定後、開票しよう。）、④振り返り（模擬選挙後の結果を分析しよう）となっている。

【資料】解説と指導上の留意点―未来の知事選の内容実践編：模擬選挙（1）[1]
1．事前学習（公民科や総合的な学習の時間等　2～3時間　教員担当） （1）個人学習（1時間） 生徒は、新聞記事等から、自分が考える自らの地域の課題を3つ選択し、「選択理由、課題の現状、自分の意見」を「ワークシート①」に整理する。 （2）グループ学習（1時間） 4人程度のグループに分かれ、生徒一人ひとりが選択した課題について「選択理由、課題の現状、自分の意見」を発表し、他の生徒と意見交換を行う。他の生徒の意見も参考に、「ワークシート①」を整理（加除修正）し、自分の意見を確定させる。 （3）選挙公報等の配布（1時間）

（1）、（2）により、生徒に自分の意見を明確化させた上で、候補者の選挙公報等（選挙管理委員会作成を想定）を配布する。
生徒に自分の意見と候補者の政策を比較させ、「ワークシート②」を使って候補者を評価させる。この評価結果が、投票する候補者を決める際の判断基準となる旨を説明する。
（4）選挙に関する実践的知識の学習（前述（1）～（3）の時間の一部を充てる）
生徒用副教材の解説編を使用し、実際の選挙のスケジュール、投票方法、選挙運動の種類、候補者の政見を知る方法等の実践的知識を学習する。

この副教材を読んでみて、どのような印象を持っただろうか。

教師用指導書を読むと、年間指導計画の中で模擬選挙の実践が実現可能となるように、具体的な配慮事項が示されている。

「①公民科の授業の中で副教材の活用場面を想定しておくこと、②総合的な学習の時間や特別活動等で学校として副教材を活用する際、公民科の指導との関連を踏まえておくこと、③学校外部の関係機関、関係者と連携、協働して副教材を活用した出前授業等を実施する際に留意すべき点を明確にしておくこと」—これらは、公民科での授業を核にしながらも、学校全体で模擬選挙に取り組んでいくことを求めている。その際、公民科の教員がイニシャチブを発揮し、主体的に取り組む出番であることは言うまでもない。公民科教員としてのアイデンティティをぜひ発揮してもらいたいものである。

学校全体での取組が難しい場合は、自分が担当する学級を対象にする方法も考えられる。簡易版の模擬選挙となるが、公民科の授業で選挙公報や新聞記事から各政党のマニュフェストを確認させるという事前学習を行う。生徒たちの関心意欲を高め、投票率の向上につなげるためには、国政選挙の時期に合わせて行うと、政治的教養を高める効果があると考えられる。授業を組み替えるという教育課程の柔軟性が求められるが、同じ公民科教員同士の共通理解が必要となってくる。投票は、指定した教室で放課後や昼休みを利用して実施するという方法もある。開票結果は次の授業時に紹介し、実際の選挙結果と比較することで生徒たちの政治への関心意欲を高めることが可能となるだろう。

≪発展≫実際に『私たちが拓く日本の未来』（総務省・文部科学省）という副教材と教師用指導書を次のアドレスから開いて読んでみよう。

・生徒用副教材：https://www.soumu.go.jp/main_content/000690326.pdf

・教師用指導書：https://www.soumu.go.jp/main_content/000382033.pdf

---

[1] 総務省・文部科学省『私たちが拓く日本の未来』教師用指導書、35～36頁より一部修正。

18 政治的教養と政治的中立性

政治的中立性とは何か。公民科教員はどのように対応すべきか。

公民科は高校教育において、政治的教養を培う中心的な教科であると位置づけられている。一方、政治的中立性という制限があり、政治的な内容を取り扱う際に、具体的実践的に教えることに躊躇する教員も見られる。

教育基本法では第 14 条にそれらに関連する条項が記されている。

【資料 1】教育基本法第 14 条
1 項　良識ある公民としての必要な政治的教養は、教育上尊重されなければならない。
2 項　法律に定める学校は、特定の政党を支持し、またはこれに反対するための政治教育その他の政治的活動をしてはならない。

第 1 項では政治的教養の必要性が示されているが、2 項では政治的中立性が記されている。学校現場での指導の取り扱いが問われてきた。

2015 年に公職選挙法が改正され、2018 年 6 月 21 日以降、18 歳選挙権が認められることになった。7 月初めに選挙があると、単純計算で高校 3 年生の 25%が選挙権を有することになり、政治的教養に関してより実際的な学習が求められるようになった。

では、次の事例は政治的中立性として認められるだろうか。

A　公民科教員として勤務先高校のある自治体に連絡し、選挙管理委員会と連携し、模擬選挙を行うことにした。この中で具体的な投票方法などの具体的知識を持たせ、選挙権を行使し、投票行動につながるように説話を行った。
B　政治的教養として、公民科の公共の科目で、実際に日本にある政党を紹介した。その際、新聞に掲載された各政党の主な政策を示し、読ませ、同時に選挙広報を補助資料として配付した。
C　公民科教員として担当している生徒たちの政治的教養の教育を行うために、F 党発行の機関誌記事を印刷し、授業で配布した。F 党の政策に注目させ、どのような主張を述べ、どのような社会にしたいと考えているのか、解説した。
D　政治的教養の公民科の授業後に、数人の生徒が次の国政選挙に向けて、G 党が良いのではないかと考えるようになり、手作りのチラシをつくり、他の生徒に G 党への投票行動を呼びかけ始めた。
E　クラスの数人のグループが、次の国政選挙で N 立候補者が優れていると考えるようになり、放課後、駅前の立ち会い演説会場に参加したいと言ってきた。

18 歳選挙権の実施に合わせて、文部科学省は 2015 年 10 月に「高等学校等における政治的教養の教育と高等学校等の生徒による政治的活動について（通知）」を出した。その中では、「政治的教養の教育に関する指導上の留意点」について次のように説明

している。

【資料２】政治的教養の教育に関する指導上の留意点
1　政治的教養の教育は、学習指導要領に基づいて、校長を中心に学校として指導のねらいを明確にし、系統的、計画的な指導計画を立てて実施すること。教科においては公民科での指導が中心となる…（後略）
2　政治的教養の教育においては、…民主主義の意義…政治や選挙についての理解を重視すること。…論理的思考力、現実社会の諸課題について多面的・多角的に考察し、公正に判断する力、現実社会の諸課題を見いだし、協働的に追究し解決する力、公共的な事柄に自ら参画しようとする意欲や態度を身に付けさせること。
3　指導に当たっては、学校が政治的中立性を確保しつつ、現実の具体的な政治的事象も取り扱い、生徒が有権者として自らの判断で権利を行使することができるよう、より一層具体的かつ実践的な指導をおこなうこと。…（後略）
4　生徒が有権者としての権利を円滑に行使できるよう、選挙管理委員会との連携などにより、具体的な投票方法など実際の選挙の際に必要となる知識を得たり、模擬選挙や模擬議会など現実の政治を素材とした実践的な教育活動を通して理解を深めたりすることができるよう指導すること。なお、…指導が全体として特定の政治上の主義若しくは施策又は特定の政党や政治団体等を指示し、又は反対することにならないよう留意すること。
5　教員は、…学校の内外を問わずその地位を利用して特定の政治的立場に立って生徒に接することのないよう、また不用意に地位を利用した結果とならないようにすること。

上記の留意点から考えると、AとBは認められるが、Cは政治的中立ではないと考えられる。また、DとEについては、通知の中の「第三　高等学校等の政治的活動等」に示されており、校内での政治的活動は認められないが、学校外では原則として容認されている。Dは認められないが、Eは認められることになる。

18歳選挙権の導入によって、公民科の授業では、政治教育をより具体的で実践的に行っていく必要がある。生徒たちの疑問を大事にしながら、生徒たちの主張を認め、その根拠や資料を調べさせる。そしてそれらをさまざまな角度や解釈で検討・評価し、生徒たちに政治的関心を喚起していく必要性が求められている。

≪発展≫上記で紹介した文科省の通知をじっくりと全文を読んでみよう。また、先進国においては政治的中立性をどのようにとらえて教育しているのか、調べてみよう。

≪参考文献≫若井・坂田・梅野編『2021年度版必携教職六法』協同出版、2020年。

19 評価の方法

公民科において評価はどうすればよいのだろうか。

新学習指導要領では、資質能力育成の３つの柱である「知識・技能」「思考力・判断力・表現力等」「学びに向かう力・人間性等」に対応した形での評価が求められている。「知識・技能」「思考・判断・表現」「主体的に学習に取り組む態度」の３つの観点となる。

現場における評価の現状と課題については次のように指摘されている。

【資料１】児童生徒の学習と教育課程の実施状況の評価の在り方について （教育課程審議会　答申）2000年12月
第１章　評価の機能とこれからの評価の基本的な考え方 第１節　評価の機能と今後の課題 ３ 評価の現状と今後の課題 （２）　現行の学習指導要領の下においては、基礎・基本を重視し、自ら学ぶ意欲や思考力、判断力、表現力などの資質や能力の育成とともに、児童生徒のよさや進歩の状況などを積極的に評価し、児童生徒の可能性を伸ばすことを重視した「新しい学力観」に立つ評価が行われており、このことは各学校にも浸透してきている現状にあるが、従来どおりの知識の量のみを測るような評価が依然として行われている面も見られる。以下略

資料１から分かるように、現状としては「従来どおりの知識の量のみを測る評価が行われている」状況が依然としてある。

生徒側から見ると、公民科教員がつける評価は、学習についてのインセンティブ（動機づけ）になる。ペーパーテストにおける正答の結果だけを評価すると、必然、知識量を増やそうと努力するのである。そのために、指導のねらいを的確に反映した実践の評価が求められるし、評価の場面が準備されなければならない。

具体的には、各単元の目標・内容・方法に基づいて、単元の評価規準を設定し、その評価規準に基づいて、単元の指導計画に沿って評価場面と具体的な評価規準、評価方法を定める必要がある。

一般的に、評価は３つに分類できる。「①教師のための評価」、「②子どものための評価」、「③保護者など外部のための評価」である。「①教師のための評価」は、「学校や教員が、指導計画や指導方法、教材、学習活動等を振り返り、よりよい指導に役立つようにする」ための評価である。「②子どものための評価」とは、「児童生徒一人一人のよさや可能性を積極的に評価し、豊かな自己実現に役立つようにする」ためのものである。「③保護者など外部のための評価」については、通知表や指導要録への記入など、外部に教員が準備するものを示す。

評価方法について重視されてきているのは「指導と評価の一体化」である。公民科についてはどのような評価方法が可能なのであろうか。これまで実践されてきた評価方法を資料２に示す。それぞれの評価方法にはどのような長所と短所があるのだろうか。

【資料２】公民科で実践されてきた評価の方法
① ペーパーテストを定期的に行う。
② 授業中に配布したワークシートを点検する。
③ 単元のまとめの課題として提出させるレポートや授業用ノートの点検を行う。
④ 授業中の取り組みの態度や姿勢を観察し、チェックする。
⑤ 授業後に生徒自身による自己評価を実施し、それを点検する。
⑥ 生徒同士に相互評価を行わせる。
⑦ 授業で取り組ませたポートフォリオを提出させ、点検する。
⑧ 生徒たちがテーマに関して行うパフォーマンスを点検する。

現場の教員が比較的頻度の高い使用評価は、①〜④である。その中で、もっとも客観的な評価は、言うまでもなく①定期的なペーパーテストである。知識量を測ることが可能であり、同時に資料や地図などの読み取りという技能も問題を工夫することで測ることが可能となる。「思考・判断・表現」についても、記述式の問題を解答させることで可能性が高くなっていく。

②については、授業前、授業中、授業後の学びの変化を確認できる。いわゆる形成的評価として効果がある。

③については、「知識・技能」「思考・判断・表現」の観点から総合的に評価できるが、全員分の点検は労力をともなう。

④については、名簿や座席表を準備して点検する必要がある。「主体的に学習に取り組む態度」を評価するのに適しているが、授業そのものが煩雑になる。

３つの観点評価を考えると、⑤〜⑧の評価もやっていく必要性はあるが、実際には労力をともない、現実的には日常的な評価は困難となることも多い。

労力が少なく効率的で妥当性の高い評価の在り方が問われている。

≪発展≫形成的評価が可能となるワークシートを作成してみよう。

≪参考文献≫二井正浩「公民科教育の評価」社会認識教育学会編『公民科教育』学術図書出版社、2016年、164〜177頁。

20 司法参加と裁判員裁判

司法参加の意義について学ぼう。

科目「政治経済」では、「裁判所と司法」の「司法の課題と国民の司法参加」で「裁判員制度」について理解することとなっている。

「裁判員制度」については、「裁判に国民の良識を反映させると同時に主権者としての意識を高めることを目的」として、2009年に司法制度改革の柱として導入された。裁判員の選出は選挙人名簿（20歳未満を除く）から1年ごとに抽選で「裁判員候補者名簿」を作成し、記載者に通知されることになっている。

このテーマの授業では、単なる裁判員制度のシステムだけではなく、自分が裁判員候補者になった場合を想像させて、当事者意識を持たせながらの指導が大切になる。たとえば、次のような場面を準備する。

【資料1】裁判員制度の学習で問いかけたい場面
・裁判員候補者として裁判所に呼び出され、裁判官との面接で裁判員になるかどうか聞かれたときどうするか。 ・仕事で多忙なときは引き受けるか？介護があるときは？学生だったら？ ・裁判員に任命され、裁判後の評議で意見を求められたとき、どのような視点で答えるか。 ・評議で自分だけ他の裁判員と意見が異なったとき、どうするか。

つまり、裁判員制度は、他のだれかがやってくれるのではなく、自分が任命される可能性があり、市民としての司法への参加が公共社会の一員として求められていることを生徒たちに伝える必要がある。ちなみに、介護すべき家族がいたり、高齢者、学生の場合は裁判員の辞退が認められている。

裁判員制度の課題は、「被告人にとって短期間の裁判が十分に公正なものなのか」、「裁判員にとっての守秘義務などの負担が大きすぎないかなどの懸念」「裁判員候補者として辞退が多い」などがあげられている。

最高裁のアンケート調査によると[1]、裁判員候補者の中で、辞退者が2012年には61.6%であったが、2018年には67%に増加し、やりたくなかったという気持ちが比較的多かった(44.1%)という結果がある。

一方で、裁判員経験者の感想としては、非常によい経験と答えた割合が63.8%、よい経験と感じたという答えが32.9%であった。合計で96%を超える。

具体的に裁判員経験者の声を聞いてみよう。

【資料２】裁判員経験者の声：　最高裁判所「裁判員制度」ＨＰ[2]より

・自分の持っていたイメージとはかなり異なり、とても参加しやすい雰囲気の中、自分の意見を述べることもできました。(50代、女性、専業主婦)
・評議を通じて、現在の自分の考え方や価値観、物事の見方など自分では気づいていなかった、意識していなかった点を知ることができました。(50代、男性、無職)
・これまで裁判自体が遠い存在であり、縁のないものと考えていたが、経験後は身近に感じられ、良い経験と考えるようになった。(30代、男性、お勤め)
・他の裁判員や裁判官の方々の意見を聞いて評議している中で、様々な観点から物事を考えていたり、自分とは違った捉え方をしていて勉強になりました。(20代、女性、お勤め)

また、裁判というと難しいのではないかという印象があるが、調査では、審理内容について「分かりやすかった」が64.8%、「普通」が29.5%となっており、「わかりにくかった」は4.3%となっている。

さらに、「評議で議論に十分に参加できたか」の問いについては、「十分に議論ができた」が74.4%という結果となっている。このことについて、裁判員経験者は次のように答えている。

【資料３】裁判員経験者の声：　最高裁判所「裁判員制度」ＨＰより

・専門用語の説明など裁判員制度を意識したものだったのでわかりやすかった。(20代、男性、お勤め)
・適度に休憩があり、皆さんの意見も取り入れられて自分では気づかないような点まで話し合うことができた。(30代、女性、お勤め)

課題となっている「裁判員にとっての守秘義務」については、裁判所は次のような注意喚起をしている。

【資料４】裁判員にとっての守秘義務：最高裁判所「裁判員制度」ＨＰより

裁判員候補者になられた方への接触や働きかけを防ぎ、裁判員候補者自身のプライバシーや生活の平穏を保護するため、裁判員候補者であることを公にすることは、法律上禁止されています（裁判員法101条１項前段）ので、ご注意ください。

「公にする」とは、インターネット上のホームページ、ブログ及びＳＮＳ等で公表するなど、裁判員候補者であることを不特定多数の人が知ることのできる状態にすることをいいます。

最高裁判所は具体的に「守秘義務」について説明しており、裁判員がどのような行為をすることが守秘義務違反になるのかを説明している。

公民科教員は、裁判員制度の仕組みを説明するだけでなく、当事者意識を持たせながら公共社会の一員としての自覚を生徒たちに持たせる工夫が望まれている。

≪発展≫裁判員制度の仕組みについて、具体的にその内容を確認しよう。

---

[1] 裁判員等経験者に対するアンケート調査結果報告書（平成30年度）2019年３月最高裁判所。

[2] https://www.saibanin.courts.go.jp/index.html

21 家事調停と検察審査会

家事調停と検察審査会の司法参加の内容を学ぼう。

裁判員制度については、前テーマで学習したが、それ以外の市民による司法参加にはどのようなものがあるのだろうか。

【資料１】市民の司法参加
・国民審査　・裁判員制度　・調停制度（民事・家事）　・司法委員制度 ・参与員制度　・検察審査会制度

有権者が参加できるものとして、国民審査がある。最高裁判所の判事の任命や罷免に関して国民が直接関わることができる。しかし、現状としては罷免が妥当と考える最高裁判事名に×をつけるということも知らない人が多く、また○をつけてしまう人も多い。これまでの国民審査で罷免された判事はだれもおらず、実質的には形骸化している。

それ以外には、調停制度、司法委員制度、参与員制度、検察審査会制度において、市民が司法参加している。

ここでは、調停制度、その中の家事調停制度について見ていこう。この制度では市民の中から家事調停員が裁判所によって任命される。調停員は、裁判員制度とは違い、突然の通知で候補となるわけではなく、市民の中で税理士資格などを持つ有識者が選ばれる。家庭裁判所関連の事項を扱い、調停の申請があると、男性１名、女性１名の調停員と裁判所判事で調停委員会が組織される。

基本的には調停員二人が中心になって調停は行われるが、途中で判事との評議が開かれ、双方の主張を整理しながら合意点を探っていく。この制度は裁判での争いではなく、家庭内の問題を市民感覚のある調停員を中心にして話し合いによって合意していこうとするものである。

では、具体的にどのような事項を話し合っているのだろうか。次の資料２を見てみよう。

【資料２】家事調停委員会が取り扱う内容　（日本調停協会連合会『調停委員必携（家事)』より）
・離婚調停（離婚の申し立て、円満解決の申し立て） ・婚姻費用分担調停（別居となった場合は、所得の多い方が相手方に離婚成立まで生活費用を支払う） ・親権者の指定・変更調停（未成年者の親権者を指定したり、変更したりする）

・子の監護に関する調停
　ア　監護する子どもの養育費の請求
　イ　面会交流（離婚によって別居となった子に対する面会の請求）
・財産分与調停（婚姻後の財産の分与請求）
・遺産分割調停（遺産の分割についての請求）など

内容を見て分かるように、離婚をめぐる争いが大きな柱になっている。離婚については、双方の合意で成立できれば良いが、多くの場合、争いごとになることが多い。それは、わが子の今後のことや、生活費のこと、財産の分割など合意しなければその後の生活に大きな影響を与えるからである。

たとえば、「面会交流」について、子どもから考えると、離婚しても双方は自分の親であり、父母との交流を求める場合が多い。また、父母との交流は子どもの成長発達において重要なものであるという認識が広がっている。「子どもの最善の利益」という観点から、面会交流についても離婚後の生活において、重視していくことが求められている。

次に検察審査会について見ていこう。この制度では、11 人の審査委員が市民から無作為に選ばれる。検察官が独占する起訴する権限（公訴権）に市民による民意を反映させようとするものである。検察審査会の働きを示す次の事例を見てみよう。

【資料３】長野県松本市小学生柔道過失傷害事件（長野地方裁判所判決、有罪確定）	
2008 年５月	長野県松本市の柔道教室で小学６年生が指導者に投げ技（片襟体落とし）をかけられ、急性硬膜下血腫で意識障害に陥り、重度の後遺障害が残る。
2010 年９月	長野県警察、業務上過失傷害容疑で元指導員を書類送検。
2012 年４月	長野地方検察　「事故を予見できなかった」と嫌疑不十分で不起訴。
2013 年３月	長野検察審査会　２度目の起訴相当の議決。
2013 年５月	強制起訴（在宅起訴）。
2014 年４月	長野地裁、禁錮１年、執行猶予３年（求刑禁錮１年６月）の判決。

上記の事件では、２度にわたって長野地方検察は元指導員を不起訴としたが、長野検察審査会が２度にわたって起訴相当の議決を行った。そのため、強制起訴となり、裁判が行われ、元指導員は有罪判決となった。

これまで強制起訴された８事件 10 人のうち、有罪判決は２件目であった。

2009 年より起訴議決制度が採用され、上記のような強制起訴が実施されるようになってきている。

≪発展≫司法委員制度、参与員制度の市民参加について内容を確認しよう。

22 デジタル変革

これからの高度情報化社会はどのような社会なのか。

これからの日本が目指すべき未来社会について、2016年に閣議決定された『第５期科学技術基本計画』では、「Society５．０」と呼び、「超スマート社会」を実現するとしている。この社会は、ＩＣＴを最大限に活用し、サイバー空間とフィジカル空間（現実世界）を融合させた取組を進め、人々に豊かさをもたらすと言う。

文部科学省は、「Society５．０」に向けて、「ＧＩＧＡスクール構想」(Global and Innovation Gateway for All) を打ち出した。Society５．０を狩猟社会、農耕社会、工業社会、情報社会に続く新たな未来社会ととらえ、ＧＩＧＡスクール構想では、「１人１台端末と、高速大容量の通信ネットワークを一体的に整備することで、特別な支援を必要とする子供を含め、多様な子供たちを誰一人取り残すことなく、公正に個別最適化され、資質・能力が一層確実に育成できる教育環境を実現する」「これまでの我が国の教育実践と最先端のベストミックスを図ることにより、教師・児童生徒の力を最大限に引き出す」としている。そのために学校現場にＩＣＴをより一層活用することを求めている。

そのＩＣＴ活用のために、Society５．０実現に必要なテクノロジーの一つが「５Ｇ」である。では「５Ｇ」にはどのような特色があるのか。

「超高速」「低遅延」「多数同時接続」の３つと言われる。それぞれ、「超高速」は４Ｇの100倍、「低遅延」は情報のやり取りの遅延時間が1000分の１秒、「多数同時接続」とは、１平方キロメートル圏内に100万台もの端末を接続できるようになるという。デジタルな世界を全国隅々にまで広く手軽に展開できるようになる。５Ｇは、ＩｏＴ（Internet of Things）やＡＩ(人工知能)などとともにすべての産業分野に影響を与える汎用技術になると言われる。

では、５ＧとＩｏＴ、ＡＩによって引き起こされるという「デジタル変革」によって、この社会や産業はどのように変化していくのだろうか。次の資料を見ていこう。タイトルには「ＣＰＳによるデータ駆動型社会」と書かれているが、そのＣＰＳとは「Cyber Physical System」(実世界とサイバー空間との相互連関）の略である。データを集積し、データの蓄積・解析を行い、現実世界へ（制御・サービス）を可能にする駆動型社会になるという。その技術として、５Ｇ、ＩｏＴ、ＡＩが不可欠なものとなる。

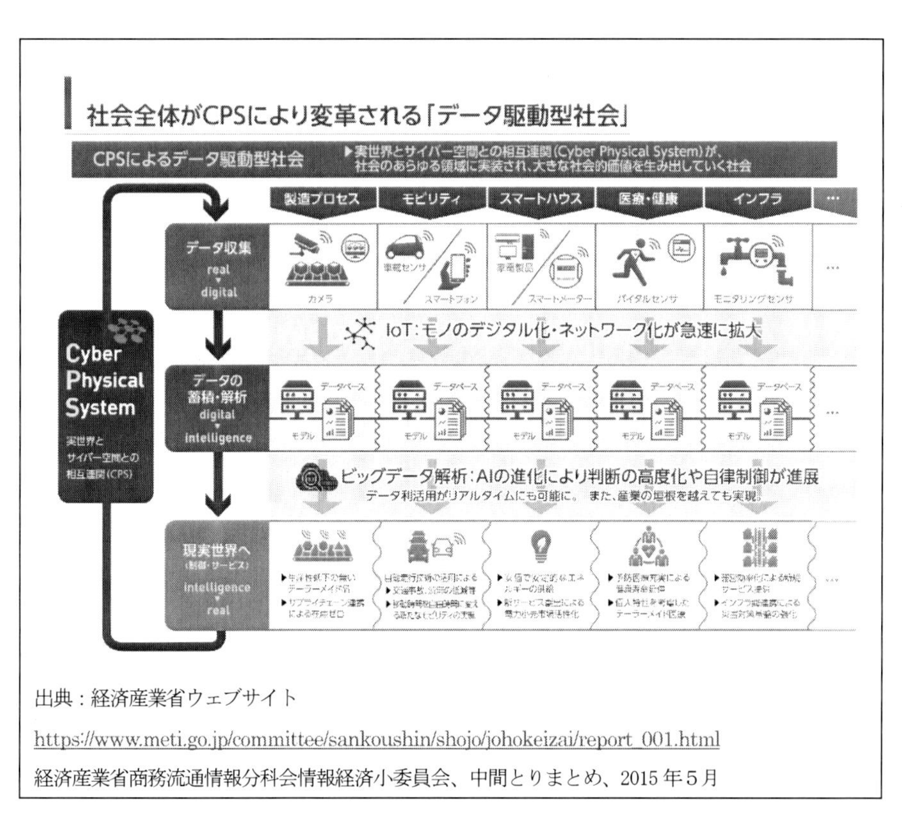

出典：経済産業省ウェブサイト

https://www.meti.go.jp/committee/sankoushin/shojo/johokeizai/report_001.html

経済産業省商務流通情報分科会情報経済小委員会、中間とりまとめ、2015 年５月

資料から事例を見ていこう。たとえば、「モビリティ」の欄を見ていくと、車載センサやスマートフォンでデータを収集し、その情報をデータベース化していく。そのビッグデータをＡＩによって解析させ、「ＡＩの進化により判断の高度化や自律制御が進展し、データ利活用がリアルタイムにも可能になり、また、産業の垣根を越えても実現する。」と説明する。モビリティにおいては、「自動走行技術の活用によって、交通事故、渋滞の低減等が図られ、移動時間を自由時間に変える新たなモビリティの実現」が現実社会において可能になるという。

以上のようにデジタル変革による高度情報化社会はもうそこまで来ている。

≪**発展**≫1990 年代からの移動通信システムの変化を調査してみよう。

≪**参考文献**≫森川博之『５Ｇ　次世代移動通信規格の可能性』岩波新書、2020 年。

23 環境保護

奄美・沖縄、世界自然遺産候補地の取組から環境保護について考えよう。

『高等学校学習指導要領（平成30年告示）解説 公民編』(2018年）では、科目「公共」の大項目「A 公共の扉」の「(２) 公共的な空間における人間としての在り方生き方」で、「環境保護などの課題を扱うこと」が示されており、環境と人間社会の問題について考察し判断する例について説明がなされている。ここでは、世界自然遺産へ登録をめざしている地域の活動から、人間が生態系の中でいかにして調和的な共存関係を築くかを考える授業づくりを考えてみよう。

ユネスコが定める世界遺産は、日本の場合、その多くは文化遺産として登録され、自然遺産は屋久島、白神山地、知床、小笠原諸島のわずか４つである。奄美大島、徳之島、沖縄島北部及び西表島は、５つめの自然遺産の登録をめざしている。登録されるには、「地形・地質」「生態系」「自然景観」「生物多様性」の４つの登録基準のいずれかを満たす必要があり、奄美・沖縄はこのうち「生物多様性」を満たすとされている。

資料１に示すように、登録へ向けて、様々な取組を行ってきたが、2018年、ユネスコの諮問機関ＩＵＣＮ・国際自然保護連合は「登録延期」を勧告した。日本の自然遺産推薦地が延期の勧告を受けたのは初めてである。

【資料１】奄美の世界自然遺産登録に向けたこれまでの動き[1]

◆2003（平成15）年

「世界自然遺産候補地に関する検討会」で、奄美群島を含む「琉球諸島」は、「知床」、「小笠原諸島」とともに、世界遺産の登録基準を満たす可能性が高い地域として選定される。

◆2013（平成25）年

政府がユネスコの世界遺産暫定一覧表に記載することを決定（１月)。

環境省、林野庁、鹿児島県及び沖縄県が共同で設置した世界自然遺産候補地科学委員会において、「奄美大島、徳之島、沖縄島北部及び西表島」を登録候補地として選定（12月)。

◆2017（平成29）年

環境省が、世界遺産登録の前提となる奄美群島国立公園を指定（３月)。

ユネスコの諮問機関であるＩＵＣＮによる推薦地の現地調査を実施（10月)。

◆2018（平成30）年

IUCNにより、世界遺産一覧表への「記載延期」が適当との勧告がなされる（５月)。

政府が、推薦をいったん取り下げることを決定（６月)。

◆2019（平成31）年

政府が、ユネスコ世界遺産センターへ推薦書を再提出（２月)。

この地は、数百万年前にユーラシア大陸から離れ、生態系は、独自の生物進化を遂げ、アマミノクロウサギなどに代表される希少種を含む多様な生物が生息・生育していることが評価されている。2019年、鹿児島県は、「登録に向けた課題と取組」として、「(1)保護担保措置の導入(2)世界自然遺産推薦地としての価値の維持(3)自然環境の保全と利用の両立(4)気運の醸成」を掲げ、登録へ向けて活動を続けている。そして、パンフレットを作成するなど再度世界遺産への登録を目指した取組を始めている（資料2）。世界自然遺産に登録されると地域の知名度が上昇し、観光客数の増加が見込まれ、観光産業の発展による雇用の創出が期待されるなど、地域の活性化が期待される。しかし、これらは、逆に自然環境の悪化、損失にもつながる可能性もある。

【資料2】世界遺産に向けた国、県、市町村の取組[2]

●希少種保護
捕獲や採取の規制の他にも、アマミノクロウサギの生息状況のモニタリング、交通事故の防止キャンペーン、パトロールなどを行っている。
●外来種対策
奄美の希少動物を捕食するマングースや野生化したネコ（ノネコ）の捕獲などを行っている。
●世界自然遺産　奄美トレイル
奄美群島 12 市町村全体で観光客を受け入れるために、魅力的な自然や集落巡りなどのコースの選定をしている。
●利用のルールづくり
観光客などの利用者がたくさん訪れる金作原や林道山クビリ線などで、利用者のためのルールづくりをしている。
●自然観察の森
多くの人に気軽に奄美の森を楽しんでもらうよう、龍郷町の「奄美自然観察の森」の施設をリニューアルしている。
●公共事業の環境配慮
道路等の公共事業について、自然環境に配慮した工事等を行っている。
●普及啓発
世界自然遺産を守るために、様々な情報発信を行っている。

授業では、世界自然遺産推薦地への登録延期の理由を確認した上で、「世界自然遺産登録の是非」や「ノネコやマングースなど人間の手によって持ち込まれた外来種への対応」「世界自然遺産登録後、観光客増加への対応」等をテーマに、環境保護についてクラスで討論する活動を取り入れたい。

≪発展≫この他にも多様な生物を保護する国際条約について調べてみよう。

---

[1] 鹿児島県ＨＰ　www.pref.kagoshima.jp/ad13/kurashi-kankyo/kankyo/amami/amami-isan.htm 参照。

[2] 鹿児島県パンフレット「みんなで守ろう奄美の宝」2019年。

24 基本的人権

小・中学校では、日本国憲法の基本的人権についてどのような内容を指導しているのだろうか。

授業を構成する際に、生徒がこれまでにどのような学びをしてきたのか、系統性を意識して既習事項を確認することは、教材研究での重要な要素である。

ここでは、「日本国憲法の基本的人権」を例として、資料１、２をもとに、小・中学校社会科の指導内容を確認する[1]。そして、系統性を踏まえ、小・中学校社会科と公民科との共通点や差異を意識した授業構成に役立ててほしい。

【資料１】学習指導要領（小学校第６学年）にみる基本的人権の指導内容（下線は筆者による）
ア　次のような知識及び技能を身に付けること。 （ア）日本国憲法は国家の理想、天皇の地位、国民としての権利及び義務など国家や国民生活の基本を定めていることや、現在の我が国の民主政治は日本国憲法の基本的な考え方に基づいていることを理解するとともに、立法、行政、司法の三権がそれぞれの役割を果たしていることを理解すること。 イ　次のような思考力、判断力、表現力等を身に付けること。 （ア）日本国憲法の基本的な考え方に着目して、我が国の民主政治を捉え、日本国憲法が国民生活に果たす役割や、国会、内閣、裁判所と国民との関わりを考え、表現すること。
アの（ア）の日本国憲法は国家の理想、天皇の地位、国民としての権利及び義務など国家や国民生活の基本を定めていることを理解することとは、日本国憲法には、国民の基本的人権は侵すことのできない永久の権利として保障されていること、（中略）生命、自由及び幸福の追求に対する国民の権利は侵すことのできない永久の権利として国民に保障されたものであり、それを保持するためには国民の不断の努力を必要とするものであること、参政権は国民主権の表れであり、民主政治にとって極めて重要であること、国民は権利を行使する一方で、勤労や納税の義務などを果たす必要があることなどの権利や義務が定められていることなどを基に、日本国憲法の特色について理解することである。 イの（ア）の（中略）日本国憲法の基本的な考え方に着目するとは、日本国憲法に定められた基本的人権の尊重、国民主権、平和主義の原則、天皇の地位、国民の権利と義務などの基本的な考え方について、関連する条文などを根拠に調べることである。
「国民としての権利及び義務」についての指導に当たっては、日本国憲法に定められた国民としての権利及び義務について、国民生活の安定と向上を図るために政治が大切な働きをしているという観点から、具体的な事例を取り上げるようにすることが大切である。国民の権利については、例えば、参政権を取り上げ、選挙権など、政治に参加する権利が国民に保障されていることを理解できるようにする必要がある。国民の義務については、例えば、納税の義務を取り上げ、税金が国民生活の向上と安定に使われていることを理解できるようにする必要がある。

【資料２】学習指導要領（中学校公民的分野）にみる基本的人権の指導内容
（１）人間の尊重と日本国憲法の基本的原則 対立と合意、効率と公正、個人の尊重と法の支配、民主主義などに着目して、課題を追究したり解決したりする活動を通して、次の事項を身に付けることができるよう指導する。 ア　次のような知識を身に付けること。 （ア）人間の尊重についての考え方を、基本的人権を中心に深め、法の意義を理解すること。 （ウ）日本国憲法が基本的人権の尊重、国民主権及び平和主義を基本的原則としていることについて理解すること。
アの（ア）の人間の尊重についての考え方を、基本的人権を中心に深め、法の意義を理解することについては、民主主義は、個人の尊重あるいは個人の尊厳を基礎とし、全ての国民の自由と平等が確保されて実現するものであることについて理解を深めることができるようにすることが大切である。その際、人間が生まれながらにもつ権利として保障されている基本的人権の内容の理解を基に、人間の尊重の意味やその在り方について理解を深めることができるようにするとともに、基本的人権を保障している法の意義について理解できるようにする。 アの（ウ）の日本国憲法が基本的人権の尊重、国民主権及び平和主義を基本的原則としていることについて理解することについては、まず、「基本的人権の尊重」が日本国憲法の基本的原則となっていることについて、二つの点から理解できるようにすることを意味している。 一つは、基本的人権の理念が、人類の多年にわたる自由獲得の努力の成果であり、過去幾多の試練に堪えてきた価値あるものであること、いま一つは、基本的人権の理念が、自由で幸福な人間らしい生活を願う人々にとって、広く支持され得る普遍的な内容をもっているので国の政治や人々の社会生活を具体的に律する有効な指針となることである。すなわち、現代の社会生活において、人間の生き方が問われ、豊かな人間性を育てることが基本的な課題として重視されているが、その際、人間の尊重を核心とする基本的人権の理念は最もすぐれた具体的な指針となると考えられるのである。 その際、抽象的な理解にならないように、日常の具体的な事例を取り上げ、基本的人権に関連させて扱い、権利相互の関係や人権をめぐる諸課題についても理解できるようにするとともに、歴史的分野における「民主政治の来歴」や「人権思想の発達や広がり」などの観点からの学習の成果を踏まえることが大切である。

小学校では、資料１に示すように、基本的人権の内容について、関連する条文などを根拠に調べ、基本的な考え方を理解することが中心である。中学校では、資料２にあるように「民主主義は、個人の尊重あるいは個人の尊厳を基礎とし、全ての国民の自由と平等が確保されて実現するものであることについて理解を深める」「基本的人権の理念は最もすぐれた具体的な指針となる」などと示されている。そして、「日常の具体的な事例を取り上げ、基本的人権に関連させて扱い、権利相互の関係や人権をめぐる諸課題についても理解できるようにする」ことが求められている。

≪発展≫学習指導要領の公民科の指導内容を調べ、中学校との共通点や差異について確認し、分かったことを踏まえ、授業プランを立てよう。

---

[1] 文部科学省『小学校学習指導要領（平成 29 年告示）解説　社会編』2017 年。同中学校編。

25 権利と義務や責任の関係

「権利」と「義務」「責任」との関係の理解について、どのような授業を組み立てるか。

政治・経済「A　現代日本における政治・経済の諸課題－（1）現代日本の政治・経済」では、「(ア)政治と法の意義と機能、基本的人権の保障と法の支配、権利と義務との関係（中略）について、現実社会の諸事象を通して理解を深めること」が、指導内容の一つとなっている(『高等学校学習指導要領(平成30年告示)解説　公民編』)。

では、権利と義務との関係として、権利、特に基本的人権にはどのような義務や責任が伴うのだろうか。以下の資料「導入段階の発問例」や「キャッチボール中の事故」を参考にして権利と義務の関係を学習する授業づくりについて考えてみよう。

【資料1】「権利と義務や責任の関係」を学習する授業の導入段階の発問例

T:「権利とは義務や責任を伴うものである」と言う声を耳にしますが、義務を果たさないと、自らの人権についての主張はできないのでしょうか？
T：まず、基本的人権と義務について考えてみましょう。
T：日本国憲法における義務とはどんなことでしょうか。
S：「教育の義務」「勤労の義務」「納税の義務」です。
T：では、この3つの義務を果たしていない人には、基本的人権は保障されないのでしょうか。義務を果たしていない人の人権はどうなっていると思いますか。
S：保障されています。例えば、子どもです。子どもは、勤労の義務を果たしていませんが、当然、人権は保障されます。
T：そうです。国民の義務を果たしていなくても、基本的人権は当然保障されるべきものです。基本的人権とは、誰もが生まれながらにもっている、誰からも侵されることのない権利です。
T：では、基本的人権に伴う義務や責任とはいったいどんなことだと思いますか。

（授業課題）基本的人権に伴う義務や責任とはどのようなことだろうか。

T：キャッチボールが禁止されていない公園で、小学4年生2人が、グローブをつけて軟球でキャッチボールをしています。どんな権利や義務、責任のもとで、遊んでいるのでしょうか。
S：公園だから、その公園のルールを守る義務があります。
S：ルールを守れば、その公園でだれもが自由に遊べます。
T：この小学校4年生の2人は、ルールを守る義務を果たして、公園内で自由に遊んでいましたが、この後、投げていたボールが逸れて、近くにいた子どもに当たって死亡しました。裁判でのそれぞれの主張や裁判所の判断を読んで、小学生の義務や責任について考えましょう。

権利と義務との関係の理解とは、「人はそれぞれ自己の権利を主張し、その保障を要求し得ると同時に、他者の権利を尊重する義務を負うこと」について理解を深めることである（同解説）。この「他者の権利を尊重する義務」について、資料２「キャッチボール中の事故」の裁判所の判断を確認しよう。

【資料２】「キャッチボール中の事故」でのそれぞれの主張及び裁判所の判断[1]	
原告：被害児童の父及び母 被告：加害児童Hの親権者（父及び母）、加害児童Ｉの親権者（父及び母） 根拠となる法令：民法709条、712条、714条１項。 故意又は過失によって他人の権利又は法律上保護される利益を侵害した者は、これによって生じた損害を賠償する責任を負う。【民法709条】	
原告（被害者側の主張）	被告（加害者の保護者側の主張）
・公園内の状況から、投げたボールが付近の子どもたちに当たることは十分に予見でき、その場合、傷害を負うことや死亡することも予見できた。だから、危険な場所でのキャッチボールをすべきでなかったのに、これを行った過失がある。	・小学校４年生の児童ら、またその親権者は、小学生の投げたボールが、人の身体に当り心臓振盪になることを予見することは不可能である。 ・そもそも、４年生が投げた軟式野球ボールが約20ｍも離れた人に当たった場合に死亡すること自体、予見不可能である。
裁判所の判断	
・児童らは、当時の公園の状況でキャッチボールをすれば、ボールが逸れて他人に当たることが十分に予見でき、軟式野球ボールが当たった場合、部位によっては他人に傷害を与え、さらには死亡することがあることも予見しえたというべきである。 ・児童らは、このような危険な状況でのキャッチボールを避けるべき注意義務があったのに、漫然とこれを行った過失があるといわざるをえない。	

他人の権利を侵害した者は、生じた損害を賠償する責任を負う（民法 709 条）。本事例は、加害者側が予見不可能であったという主張にもかかわらず、責任無能力者である４年生の児童らの共同不法行為によって死亡するに至ったことを認め、その保護者が、賠償義務を負うべきとしている（民法 714 条）。そして、４年生の児童らに対し、ボールが逸れて他人に当たることを予見でき、場合によっては傷害を与え、死亡することを予見し、キャッチボールを避けるべき注意義務があったと判示している。

ここでは、民法 709 条を根拠とした民事訴訟裁判を活用した教材を通して、「他人の権利を尊重する義務」の具体例として、他を傷つけないよう、安全に注意する義務について理解することができる。このように、権利と義務との関係の理解に関しては、生徒にとって身近な例をあげながら、「自分の人権だけでなく他者の人権も尊重する義務があることを理解できるようにする」（同解説）ことが重要である。

≪発展≫身近な「権利と権利の衝突」について具体的例を挙げ、他の人権を侵害していないか話し合ってみよう。

---

[1] 仙台地方裁判所平成 17 年２月 17 日判決より。

26 職業選択の自由

求められる公正な採用選考から職業選択の自由について考えよう。

『高等学校学習指導要領（平成30年告示）解説　公民編』（2018年）では、科目「公共」の「B　自立した主体としてよりよい社会の形成に参画する私たち」の指導内容として、「職業選択、雇用と労働問題」を掲げている。そして、企業等との「トラブルに直面した場合に適切な行動をとることができるよう、労働保護立法などに触れるとともに、そのようなトラブルを解決するための様々な相談窓口があることについて理解できるようにすることも大切である」と解説している。ここでは、就職の機会均等を確保するための公正な採用選考について考える教材について紹介する。

日本国憲法では「職業選択の自由」が保障され、誰もが自由に自分の適性や能力に応じて職業を選ぶことができる。一方、事業主にも採用方針や採用基準など「採用の自由」が認められている。この「採用の自由」を根拠に不合理な理由で、就職の機会が制限されてよいのだろうか。厚生労働省は、事業主に対し、就職のための応募者の基本的人権を尊重した公正な採用選考を実施するよう、各種啓発冊子を作成し、配布している。これらの資料をもとに、「職業選択の自由」や「公正な採用選考」について考えてみよう。資料１「採用選考時に不適切とされる質問は？」を見て、どれが不適切な質問だと思うだろうか。

【資料１】採用選考時に不適切とされる質問は？
Q：次のうち、応募用紙等に記載させたり面接で尋ねたりして把握することは、就職差別につながると思うのはどれでしょうか。 ア　あなたの家族構成を教えてください。 イ　あなたの学費は誰が出しましたか。 ウ　あなたのご両親は共働きですか。 エ　尊敬する人物を言ってください。 オ　あなたは、どんな本を愛読していますか。 カ　あなたは、今の社会をどう思いますか。 キ　結婚、出産しても働き続けられますか（女性に対して）。

ここでは、すべてが不適切な質問である。その根拠となる資料が、資料２「公正な採用選考をめざして」[1]である。基本的な考え方として、「『人を人としてみる』人間尊重の精神、すなわち、応募者の基本的人権を尊重すること」、「応募者の適性・能力のみを基準として行うこと」が示されている。そして、就職差別につながるおそれがあ

る 14 事項を示しているが、ア～キは、なぜ、不適切な質問となるのであろうか。

【資料２】公正な採用選考をめざして（厚生労働省より）

【採用選考の基本的な考え方】

・「人を人としてみる」人間尊重の精神、すなわち、応募者の基本的人権を尊重すること
・応募者の適性・能力のみを基準として行うこと

【適正・能力による採用選考】

「職業選択の自由」すなわち「就職の機会均等」とは、誰でも自由に自分の適性・能力に応じて職業を選べることですが、これを実現するためには、雇用する側が応募者に広く門戸を開いた上で、適性・能力のみを基準とした「公正な採用選考」を行うことが求められます。

【就職差別につながるおそれがある 14 事項】

・本人に責任のない事項の把握
①　「本籍・出生地」に関すること
②　「家族」に関すること（職業・続柄・健康・地位・学歴・収入・資産など）
③　「住宅状況」に関すること（間取り・部屋数・住宅の種類・近隣の施設など）
④　「生活環境・家庭環境など」に関すること
・本来自由であるべき事項（思想信条にかかわること）の把握
⑤　「宗教」に関すること
⑥　「支持政党」に関すること
⑦　「人生観・生活信条など」に関すること
⑧　「尊敬する人物」に関すること
⑨　「思想」に関すること
⑩　「労働組合（加入状況や活動歴など）」「学生運動など社会運動」に関すること
⑪　「購読新聞・雑誌・愛読書など」に関すること
・不適切な採用選考の方法
⑫　「身元調査など」の実施
⑬　「全国高等学校統一応募用紙・JIS 規格の履歴書（様式例）に基づかない事項を含んだ応募書類（社用紙）」の使用
⑭　「合理的・客観的に必要性が認められない採用選考時の健康診断」の実施

ア～ウは、本人に責任のない家族に関する質問である。エ～カは、日本国憲法で保障された、本来自由であるべき「思想信条」にかかわることである。キは、男女の雇用機会均等の趣旨に違反する質問である。これらの事項を応募用紙に記載させることや作文の課題とすることも認められていない。

これらは、雇用と労働問題のトラブルを防ぐ知識として、就職活動をする学生自身や、また就職を考えている生徒も学んでおきたい内容である。

≪発展≫「全国高等学校統一応募用紙・ＪＩＳ規格の履歴書」の新旧を比較して、どんなことが尊重されるようになったのか調べてみよう。

---

[1] 厚生労働省「事業主啓発用パンフレット：公正な採用選考をめざして（令和２年度版）」2020 年。

27 子どもの権利に関する条例

子どもの権利に関する条例による各自治体の取り組みは？

1989 年に国連によって「子どもの権利条約」が採択され、1994 年に日本も批准した。この条約を自治体レベルで具体的に取り組もうとしたものが、「子どもの権利に関する条例」である。初めて制定した地方自治体は神奈川県川崎市である。2000 年に制定された。条例の前文では、次のように明記している。

「子どもは，それぞれが一人の人間である。子どもは，かけがえのない価値と尊厳を持っており，個性や他の者との違いが認められ，自分が自分であることを大切にされたいと願っている。子どもは，権利の全面的な主体である。子どもは，子どもの最善の利益の確保，差別の禁止，子どもの意見の尊重などの国際的な原則の下で，その権利を総合的に，かつ，現実に保障される。子どもにとって権利は，人間としての尊厳をもって，自分を自分として実現し，自分らしく生きていく上で不可欠なものである。」

ここでは子どもを権利の主体としてとらえ「人間としての尊厳」を重視していくことをうたっている。

次は上越市子どもの権利に関する条例の一部で子どもの権利の尊重及び保障の部分を取り上げたものである。上越市の条例は条約を地域の子どもたちの生活に生かそうとしている。下の子どもの権利条約と比較して、条例の特色あるところを探してみよう。

【資料１】上越市子どもの権利条例と子どもの権利条約	
上越市子どもの権利に関する条例（平成 20 年 3 月 28 日）	「児童の権利に関する条約」について（平成 6 年 5 月 20 日、文部事務次官通知）概要より
（1）子どもの（最善の利益）が考慮され、かつ、子どもの心身の健やかな成長が促進されること。 （2）子どもが次代を担う地域社会の宝であることを認識され、地域社会で（守られ、育てら れる）こと。 （3）子ども又はその保護者等の出身、障害の有無、性別、年齢、国籍その他の事由による いかなる（差別）もされないこと。 （4）子どもが虐待及び（いじめ）による危険か	（2）生命に対する権利 （3）登録、氏名、国籍等についての権利 （4）家族から分離されない権利 （5）意見を表明する権利 （6）表現の自由についての権利 （7）思想、良心及び宗教の自由についての権利 （8）結社及び集会の自由についての権利 （9）干渉又は攻撃に対する保護 （10）情報及び資料の利用 （11）家庭環境における児童の保護

ら守られること。 （5）子どもの（意見）が最大限に尊重されること。 （6）子どもが自らの（可能性）を信じ、自身の成長のために努力をしようとする意識を持てる ようにすること。 （7）子どもが自らの権利を自覚するとともに、その権利を行使するに当たっては、他の人のことも思いやり、(尊重する）ことができるようにすること。	(12) 難民の児童に対する保護及び援助 (13) 医療及び福祉の分野における児童の権利 (14) 教育及び文化の分野における児童の権利 (15) 搾取等からの児童の保護 (16) 自由を奪われた児童、刑法を犯したと申し立てられた児童等の取扱い及び武力紛争における児童の保護

両者を比較すると、たとえば「(5)子どもの意見の尊重」は、「権利条約」の「(5)意見を表明する権利」と重なっており、「権利条約」の趣旨に沿った形で、条例は制定されていることが分かる。同様に、条例の(1)は条約の(13)、条例の(3)は条約の(11)などと関連している。一方、条例の(2)や(4)については、条約には具体的に記されていない。

上越市の子ども条例について、パンフレット[1]では、子どもの権利について、次の5つに分類している。

「安心して生きる権利」、「地域社会に参加する権利」、「自信を持って生きる権利」、「特別な社会的支援を要する子どもの権利・少数の立場に属する子どもの権利」「知らされる権利」

上越市子どもの権利に関する条例は、「子どもの権利条約」の趣旨を、具体的でわかりやすいものにし、地域の育ちを大事にしたものと言えよう。

子どもの権利に関する総合条例を制定した地方自治体は、全国で41にのぼる（2016年1月、子どもの権利条約総合研究所調査）。一般的に、条例は3つのタイプに分類され、非行対策や環境保護を目的とした「健全育成型」、子育て施策の推進を目指す「子育て支援型」、子どもの権利の保障を目的とした「子どもの権利型」の3つのタイプがあると言われる。上越の条例は「子どもの権利型」と考えられる。

各自治体で子どもの権利をさらに浸透させ、子どもたちが幸せな生活を送れるように環境整備をより一層行っていくことが求められている。

≪発展≫全国で制定された子どもの権利に関する条例を調査してみよう。上越の条例に類似するものを探してみよう。

---

[1] 「上越市子どもの権利に関する条例の概要」2008年4月1日施行。

28 子どもの保育を受ける権利

子どもの保育を受ける権利とは何か。

公民科では、倫理で「現代の家族が抱える問題」として家事や育児・介護について記され、政治経済では、「労働と社会参加」において、働く環境に関する学習内容が示されている。また、公共では、「B自立した主体としてよりよい社会の形成に参画する私たち」のところで、「少子高齢社会における社会保障の充実・安定化」を学ぶことになっている。高校生にとって、育児や子育てに関する学習は必要な要素であり、特に保育所不足のための待機児童の問題は女性の社会参加を困難にし、少子化に影響を与えていることなどを理解させることが求められる。

ここでは、次の「育児休業退園問題」の事例を参考に考えていきたい。

【資料1】事例（埼玉県所沢市「育児休業退園」問題）さいたま地裁平成27年9月29日判決
所沢市は、2014年まで、各施設長の判断で育休中も在園児の保育利用を認めていたが、2015年度より保育の継続決定は市が行うとし、在園中の0～2歳児は母親が出産した翌々月に原則退園とした。これに対して、保護者8世帯11人が、保護者が育児休業を取ると保育園に通う上の子を退園させる「育休退園」の方針を市が決定したことは違法だとして、退園指し止めを求める訴訟を、さいたま地裁に起こした。

みなさんは、上記の「育児休業退園」についてどう考えるだろうか。市側と母親のそれぞれの主張を聞いてみて、考えてみよう。

市側の主張：子どもにとっては、お母さんと過ごせた時間は愛情を実感できる貴重な時間なのではないでしょうか。家庭で二人を育児することは大変であっても、子どもに接する時間が増え、笑った顔、泣いた顔、怒った顔、困った顔など、さまざまな表情を見ることができるはずです。これまで気づかなかった面も見え、その経験が現在の子育てや今の自分の支えになっているという意見も聞いています。
母親Aの声：子どもが退園させられたら、友だちや先生との生活が奪われ、家では新生児の生活に忙しい母親にかまってもらえなくなる。それは、発達上、好ましくない環境変化にあたるのではないか。
母親Bの声：妊娠は嬉しいことなのに、上の子にしわ寄せがいくことになるとは思いませんでした。娘は家も好きだけど、保育園も好き。子どもの居場所を一つに絞れという考えは違うと思う。好きな友だちや先生がたくさんいて、つながりが多くあることは、子どもにも大切。母親と一緒がいいと決めつけるのは、子どもと過ごした経験がない人の発想です。

みなさんは、どちらの主張を支持するか。そしてその理由は何か。グループで議論してみよう。

裁判所は次のように判断した。

【資料2】裁判所の判断
「諸事情を勘案すると、保育の利用を継続する必要性がないと断ずることはできない」 「継続不可決定を違法とみる余地もないとはいえない。」
訴訟の争点について
① 保育所の保育により人格形成に重大な影響があることは明らかで、保育を受け始めた子がその機会を喪失することによる損害は小さくないと思われる。 ② 出産後の健康不安を抱えた母親や家庭の事情をみると、保育継続の必要性がないとは断定できない。 ③ 保育の利用を解除した処分は「不利益処分」にあたるというべきで、改正児童福祉法の下では「聴聞」の手続きをとる必要があると考えられる。

つまり、退園の決定について効力を停止するという結論であった。

ここでは、行政の判断や保護者の都合だけでなく、子どもの視点に立った権利尊重が示されている。つまり、「子どもの保育を受ける権利」を認めている。それは訴訟の争点の①の内容から読み解くことができる。これまでは、小学校入学前の児童は、一般的に育児休業退園の措置は免れてきたが、この判決は、三歳未満でも、保育所の保育をうけることに重要な教育的意義があると認め、退園という措置によって「重大な損害」とならないように、速やかに保育所に復帰させる必要があるとしたのである。その「重大な損害」となることについて裁判所は次のように記している。

> 「幼児期は、人格の起訴を形成する時期であるから、児童にとって、幼児期にどのような環境の下でどのような生活を送るかは、こうした人格形成にとって重要な意味を有するものである。そして、児童は、保育所等で保育を受けることによって、集団生活のルール等を学ぶとともに、保育士や他の児童等と人間関係を結ぶこととなるのであって、これによって、児童の人格形成に重大な影響があることは明らかである。そうすると、一旦、本件保育所で保育を受け始めたA（児童の名）が、本件保育所で継続的に保育を受ける機会を喪失することによる損害は、A、ひいては親権者である申立人によって看過し得ないものとみる余地が十分にある」

保育については、子どもを見守るだけのだれでもできる仕事であるという見方が日本社会には相変わらず存在する。しかし、上記の判断は、保育という仕事の専門性を重視し、「集団生活のルールを守る」「保育士や児童等と人間関係を結ぶ」という人格形成上の作用を重視している。子育ては母親の役割という見方を否定し、子どもには保育を受ける権利があることが示されている。この考え方は、女性の社会参加の推進と少子化対策との親和性がある。

≪課題≫自分の住む自治体ではどのような子育て支援が行われているのか、HPなどを利用して調べてみよう。育児休業退園のシステムはあるのか。

≪参考文献≫榊原智子『「孤独な育児」のない社会へ―未来を拓く保育』岩波新書、2019年。日本経済新聞　2015年10月1日付け記事。古畑淳「育児休業の取得と保育所に在園する園児の保育の必要性」『季刊教育法』No.190 、2016年、96～105頁。

29 いじめ問題の学習

生徒たちにとって身近な人権侵害であるいじめ問題を授業しよう。

高校生にとって、いじめ問題は身近で深刻な人権侵害である。しかし、高校でのいじめ認知件数の割合は低く、文科省の調査（平成30年度）では、学年別の認知件数は中学校平均と比較すると五分の一以下である。

高校でのいじめ問題についての授業は、主に特別活動のホームルーム活動に位置づけられているが、公民科においても取り上げたいテーマである。公民科において、人権問題の学習の一つとしていじめ問題を学習対象とすることは必要不可欠な要素であろう。倫理では「人間としての生き方」、公共「公共的な空間を作る私たち」、政治経済では「人権問題」で学習することは可能である。また、「総合的な探究の時間」においても学習可能である。

ここでは、いじめ問題に関する民事訴訟の損害賠償請求事件の判決書を教材化として行ういじめ授業を紹介する[1]。本授業は、いじめ被害者救済を第一に、いじめ防止・抑止を目指したものである。いじめ行為はどれだろうか。

【資料】神戸地裁平成28年3月30日神戸県立高校生いじめ自殺事件（一部認容、一部棄却）
1．被害者Aの状況　高校二年次　自殺に至るまで
（1）Aは、かなり早い時期から、別のクラスの、卓球同好会の生徒と弁当を食べるようになった。また、教室内で一人で食べることもよくあった。またAは、休み時間も自分からしゃべることはなく、席に座って黙り込んだまま、うつむいて時間を過ごしていた。 （2）Aは、二者面談のアンケートに、「親しい友人学級で」の欄は空欄とし、「今悩んでいること、困っていること」は「なし」と記入していた。 （3）Aは、6月16、17日頃の夜中、自宅において、「虫がいる」と言って騒いだ。Aは、母親に対し、布団の中を指さして「ここに虫がおる。ムカデみたいなやつ。」と興奮しながら大きな声で言って泣いた。 （4）8月に入るとAは、自らのスマートフォンで自殺の方法等に関するキーワード検索を20回以上行った。 （5）Aは、2学期始業式の前日、自宅のトイレ内で自殺した。Aの遺書等は発見されなかった。
2．被害者はなぜ自殺に追い込まれたのか—いじめ行為はどれだろうか？
（1）E、F、Gの少年らは、4月下旬頃から、Aを「ムシ」と呼ぶようになった。きっかけは、E・FがAに話しかけたとき、無視をされたからという理由であった。少年らはAを「ムシ」と毎日呼び、回数は一日3、4回に及んだ。休み時間に、繰り返し「ムシ」と呼び、「おい、ムシ返事せいや。」、「おい、ムシ、無視しんな。」などと言った。Aが教室に入ると、「ムシ来た〜。」「出たぁ。」などと言うこともあった。

(2)Gは、昼休み、Aが席を外している間に、教室内にいた蛾の死骸を紙に乗せて、Aの椅子の上の右端辺りに置いた。Fは、その蛾を見ながら、「これ見えるやろ。」と述べた。Aは自分の席に戻った際、蛾に気付かずその上に座った。蛾は、Aのズボンに付いた。Aは、椅子から立ち上がり、自分の周りを見て椅子の上の虫の死骸に気がつき、自分の手で虫の死骸を払った。そして、ズボンについた蛾の鱗粉を払い、そのまま席に着き俯いた。Eは、そのようなAの様子を見て笑った。他にも笑った生徒がいた。

(3)EとFは、授業中や休み時間に、Aに対し、複数回、金平糖を投げつけた。また、消しゴムのかすを投げつけたこともあった。

(4)Eは、6月上旬頃、休み時間にAの椅子の下に蛾のような1cmくらいの虫が死んでいるのを見つけた。Eは、「ネタを見つけた」、「虫の下に虫がいるという感じ」と思い、授業開始の礼が終わって着席後、FやGに向かって、椅子の下の虫を指さして、「虫おるやん」と言ったので、FやGが笑った。そのような行為に対し、Aは特に反応しなかった。

(5)クラスでは、文化祭に向けて約5日間、放課後及びロングホームルームの時間にコーラス練習が行われた。Eは練習時、Aの周りの生徒に、「Aの近くにいると菌が付く」、「離れようぜ」という趣旨のことを言った。これを聞いたAの周りの生徒が、Aから数歩離れた。F、Gを含む数人の生徒が笑った。Fは、小声で「汚い」、「エキスが付く」などと言い、Aの周りの生徒を押してぶつからせようとした。Eも、Fと同じようにAの周りの生徒を押した。E及びFは、それぞれGをAに向けて押し、GがAにぶつかったこともあった。

(6)1学期の現代文の授業は、教員の質問に対し、先に当たった生徒が自由に次の発表者を指名するというルールになっていた。少年らは、「もし自分たちが当たって、Aが当たっていない場合は、当てよう」と相談した。Fは、Aを1、2回指名し、Gは6回中4回Aを指名した。Aは、少年らに指名を返したこともあった。Aは、特に嫌がる様子を見せず普通に発表していた。クラスの生徒の中には、Aは少年らから、からかわれている、あるいは嫌がらせで、集中的に指名を受けているという印象を持つ者が複数いた。

(7)Eは、1学期中10回程度、休み時間にAの筆箱を取り上げ投げて遊ぶことがあった。

(8)Fは、2,3回、Aの使っていた机及び椅子と空席の机及び椅子とを入れ替え、またAの椅子のみを空席の椅子と4、5回入れ替えた。また、席替え以後は、2、3回、Pという女子生徒の椅子と空席の椅子とを入れ替えた。

裁判所の判断では、いじめ行為について、「2(1)(2)(4)(5)」を明らかないじめであると認定している。裁判所では、①「共同不法行為=何人かで集中して被害者に対して不法行為を行う」、②「被害の集積=被害者に対して被害が集積されている」をいじめ行為の判断としている。上記の事例でも、E、F、Gが集団でAをターゲットにして集中して攻撃しており、さらに何度も被害を重ねており、いじめ行為と認定された。

いじめは犯罪を含む人権侵害行為である。たとえば、上記のいじめ行為は、名誉毀損罪や侮辱罪になりうるものである。「(5)」については、ぶつかったとあるので、場合によっては暴行罪とも認定できる。

≪発展≫上記の判決で、学校教師はどのような対応をすべきだったのか。

---

[1] 梅野正信・采女博文『実践いじめ授業』エイデル研究所、2001年。

30 ＳＮＳによるいじめ

公民科において、どのような視点でいじめの問題を扱ったらよいか。

高等学校では、道徳教育については、人間としての在り方生き方に関する教育を、「公民科」や「特別活動」のホームルームなどを中心にして、学校の教育活動全体を通じて行うことが求められている。道徳教育として公民科でいじめ問題について扱う際に、ＳＮＳによる嫌がらせを題材にして、生徒がいじめを重大な人権侵害として認識できるような授業を構築してはどうだろうか。

以下、民法 709 条（「故意又は過失によって他人の権利又は法律上保護される利益を侵害した者はこれによって生じた損害を賠償する責任を負う」）を根拠にした民事訴訟裁判事例をもとにした教材「高校柔道部でのいじめ」を紹介する[1]。

【資料】「高校柔道部でのいじめ」（ＳＮＳを使用した嫌がらせ行為を中心に）

M、E、F、Gは、4月、A高等学校に特待生として入学し、柔道部に入部した。２年生になると、９月からＦが部長となり、Ｅ及びGが副部長となった。高校１年生の７月頃から、Ｅ、Ｆ、Ｇらは、Mの柔道着の臭いを指摘し、からかうようになった。そして、柔道部の関連で、Ｅ、Ｆ、Ｇらは、Mに対し、様々な嫌がらせをするようになる。

Ｆは、10 月頃からMが嫌がっているにもかかわらず、居残り練習に付き合わせ裏投げなどの柔道技の練習をするようになった。ＧとＦは、翌１月、Mが居残りをせず先に帰ると、Gの携帯電話で、Mに「何逃げてんの」、「明日Ｆとやるからな（笑い泣きの絵文字）」というメッセージを送信した。これに対して、Mから「俺帰るって言ったじゃん」というメッセージがGに返信されると、再びGは「言ってない」、「明日殺す」というメッセージを送信した。

２月頃、Gは、Mが上半身裸で胸を叩かれているような動画や、上半身裸のMが「がんばれ、がんばれ、ファイトだよ。」などと言っている動画を撮影し、その動画を「○○」や「□△」というタイトルで動画サイトに投稿し、インターネット上で公開した。

Ｅは、３月、Mに対し、「奴隷くん」という呼称を用いて、Ｅが指定したアプリケーションをMの携帯電話にダウンロードするように命令するメッセージを送信した。Mは、「奴隷じゃないし」というメッセージを返信し、これに対して、Ｅは、再度「奴隷くん」と送信した。

２年生になりＥは、６月、Mに対し、「ころすよ」というメッセージを連続して大量に送信した。すると、Mが途中で「怖いよ」というメッセージを返信したにもかかわらず、その後も「ころすよ」、「殺すから」というメッセージを連続で送信した。

Ｆは、６月、Mに対し、「胸毛大佐」、「死ね」などのメッセージを送信した。

７月、Ｆは、Mのスマートフォンを使って、Mのアカウントを作成した上で、そのアカウントを用いて「胸毛」や「俺は毛が濃い」などの投稿をした。

Ｅは、10 月 16 日、Mの姉を電車内で隠し撮りした上で、Mに対し、その画像を送信した。

その他、Mが、柔道場に入ろうとした際に入れないように妨害する、笑いを取るためにMを平手打ちする、スマートフォンを無理矢理借りて使用するなど様々な嫌がらせを行った。

このような嫌がらせを受けたMの主張、そして、嫌がらせをしたＥらの主張を見てみよう。

Mの主張	Ｅ、Ｆ、Ｇは、１年半を超える長期間にわたり継続的かつ執拗にいじめ等行為を行っている。その内容は、学校内のみで行われたもののみでなく、ＳＮＳを用いて行われ、気の休まる時間がなかった。そして、このようないじめ等の行為により、うつ状態、ＰＴＳＤ様状態と診断され、学校生活や日常生活に多大な影響が生じた。また、将来を嘱望されて特待生として入部したA高校柔道部の退部を余儀なくさせられ、青春期という極めて貴重な時期をいじめ等の行為により一方的に奪われてしまった。
Ｅ・Ｆ・Ｇの主張	「ころすよ」と繰り返すメッセージや、Mの姉の隠し撮りした画像を送ったことは、いずれもMを傷付けようとして行われたものではなく、Mが距離を縮めてきてくれたことを嬉しく思って、ふざけて行ったものにすぎない。「奴隷」と呼ぶことについて、Mだけが「奴隷」と呼ばれていたのではない。動画サイトの投稿は、Mを無理やり裸にして撮影したものではない。当時流行っていたネタをやるように依頼したところ、Mがそれに応じたため、Gが動画を撮影し、投稿したものにすぎない。平手打ちについてもM自身も笑っていた。 Mが柔道場に入れないようにしたのは、Mが真面目に練習しないことを注意したにもかかわらず、真面目に練習をしなかったから、事態を改善しようと思ってやったものだ。

嫌がらせをした側は、「遊びやふざけ」「距離を縮めるため」「嫌がっていなかった」「相手にも悪いところがある」などの理由で、嫌がらせ行為を続けていたことが分かる。一方、その行為を受けた側は、「ＳＮＳを用いて行われ、気の休まる時間がなかった」「学校生活や日常生活に多大な影響が生じた」と訴えている。ここでは、遊びやふざけのつもりでも、受ける側は、精神的苦痛は甚大なものになる。特に、ＳＮＳを用いると、四六時中気の休まる時間がないような状態になり、さらにダメージが大きくなることが分かる。

裁判では、「Ｅ、Ｆ、Ｇによる一連の言動は、『ころす』や『死ね』などの過激な表現が用いられたメッセージを送信したり、上半身裸のMをからかう内容の動画等をインターネット上に公開したりするなど、一般的に被害者に恐怖感や嫌悪感を抱かせるもの、人格を否定するもの」、「一連の言動は、悪ふざけの限度を超えたいじめ行為に該当するものであり、不法行為を構成する違法なもの」とし、「一連のいじめ行為によりMが被った損害について、連帯して賠償すべき責任がある」と判示している。

このように、いじめの問題を取り扱う公民科の授業では、民法と関連付けながら、遊びやふざけのつもりでも精神的苦痛を与え、人格を否定する行為で、違法なものとなることを生徒に認識させることが重要であると思われる。

≪発展≫この教材を活用して、どのような授業を展開するか構想しよう。

---

[1] 福島地方裁判所平成 31 年２月 19 日判決をもとに筆者が児童生徒向けに開発した判決書教材の一部。

31 多様性を尊重する－ＳＯＧＩの権利

多様性を尊重する社会をめざして、性的指向・性自認に関する人権について学校での対応について考えよう。

科目「公共」では、「A　公共の扉」で、「人間の尊厳と平等、個人の尊重など、公共的な空間における基本的原理」について理解することが指導内容となっている。ここでは、「人間は、一人一人が尊厳をもつかけがえのない存在であること、互いに同じ人間として平等であること、多様な価値観や考え方をもちながら生きていること」などに着目させることが大切である[1]。

そして、何よりも指導する側の教職員自身が、児童生徒の多様性を認め、一人一人をかけがえのない存在であると認識できるかが問われている。今、社会的に関心の高い、性的指向（Sexual Orientation）・性自認（Gender Identity）「ＳＯＧＩ」に関する人権への対応はどうだろうか。その当事者は、様々な不利益を被りやすく、誰もが自分らしく生きることのできるよう、学校や職場で具体的な取組が求められている。

ここでは、文部科学省など行政機関の資料をもとに、学校におけるＳＯＧＩに関連する児童生徒への対応について考えてみよう。

【問】学校内でＳＯＧＩの権利に関してどんなことに困っているのだろうか。また、具体的にどのような支援の場面を想定するだろうか。さらに、その際どのような配慮が必要だろうか。

資料１は、2015 年の文部科学省通知「性同一性障害に係る児童生徒に対するきめ細やかな対応の実施などについて」に示されている「性同一性障害に係る児童生徒に対する学校における支援の事例」である[2]。服装や髪型など９つの場面が紹介されている。

【資料１】性同一性障害に係る児童生徒に対する学校における支援の事例

服装：自認する性別の制服・衣服や、体操着の着用を認める。
髪型：標準より長い髪型を一定の範囲で認める（戸籍上男性）。
更衣室：保健室・多目的トイレ等の利用を認める。
トイレ：職員トイレ・多目的トイレの利用を認める。
呼称の工夫：校内文書（通知表を含む。）を児童生徒が希望する呼称で記す。自認する性別として名簿上扱う。
授業：体育又は保健体育において別メニューを設定する。
水泳：上半身が隠れる水着の着用を認める（戸籍上男性）。補習として別日に実施、又はレポート提出で代替する。
運動部の活動：自認する性別に係る活動への参加を認める。
修学旅行等：１人部屋の使用を認める。入浴時間をずらす。

ここでは、教職員が当事者の困り感をしっかり把握し、丁寧に準備・対応することが求められている。また、日頃から多様性を認め合い、当事者だけでなくいろいろな児童生徒が安心して過ごすことができる環境を整えることも大切である。2016 年には、具体的な対応の一指標として、文部科学省は、教職員向け周知資料パンフレットを発刊し、配布している[3]。資料２は、東京都港区が発行している「ＳＯＧＩガイド」の一部である[4]。この資料をもとに、教職員自身また児童生徒とともに「私たちにできること」について考えてみたい。

【資料２】ＳＯＧＩガイド～多様な「性」についての理解を深めるために～（東京都港区）より
「私たちができること」 【ＳＯＧＩに関心を持つ】 　地域や学校、会社などには、生きづらさを抱えていたり、ＳＯＧＩハラスメントの被害に遭ったりする人がいます。「身近にいない」ので はなく、「気づいていない」と考えて、少しでもＳＯＧＩに関心を持ちましょう。 【性的マイノリティに偏見をもたない】 　地域や学校、職場などで、周りの人を性的マイノリティであることを理由にいじめたり、からかいの対象にしたりしていませんか。日頃の会話から、配慮を心がけましょう。 【アウティングしない】 　性的マイノリティの人から自身の性的指向・性自認のことを相談されたり、打ち明けられたりしたときに、その人の同意を得ずに他の人に暴露してはいけません。 【ＳＯＧＩを正しく理解し、ＳＯＧＩハラスメントのない社会を目指して】 　性的マイノリティの人は、 学校や病院、職場、役所の窓口、民間企業のサービスを受ける場面など、あらゆる場で困難に直面しています。職場等での研修などを通して、正しい知識の習得と理解に努めましょう。

資料２に示すように、まず、教職員自身がＳＯＧＩに関心をもち理解することが求められる。そして、児童生徒が自分らしく生きることのできるよう、どのクラスにも当事者がいると想定して、日頃から性の多様性について理解を深めるとともに、教職員自ら差別や偏見のないメッセージを伝えることが大切である。

≪発展≫同性パートナーシップ制度など全国の自治体の中では、性の多様性に対応する取組が始まっている。具体的にその内容を確認しよう。

---

[1] 文部科学省『平成 30 年告示　高等学校学習指導要領解説 公民編』2018 年。

[2] 「性同一性障害に係る児童生徒に対するきめ細かな対応の実施等について」（文部科学省児童生徒課長通知、平成 27 年４月 30 日）の別紙より。

[3] 文部科学省「性同一性障害や性的指向・性自認に係る、 児童生徒に対するきめ細かな対応等の実施について　（教職員向け）」2016 年。

[4] 東京都港区「ＳＯＧＩガイド～多様な「性」についての理解を深めるために～」。

32 環境問題の出発点（水俣病）

環境問題とつながる公害問題について学習しよう。

重化学工業を邁進していた高度経済成長の時代、日本各地で公害が発生し、水俣病に代表される公害病が生まれた。1990年代以降の環境問題の前に水俣病などの公害問題があったことを忘れてはならない。

【資料1】熊本地裁昭和48年3月20日水俣病第一次訴訟判決「原告の損害」より

Ａ子は、生来健康でいたが、２歳４ヶ月の1956年５月10日頃、突然、元気がなく、ぼんやり一点を見つめるような仕種をし、２、３歩歩いて転び、足の痛みを訴えて泣くようになった。歩行障害は次第に進行し、言語も不明瞭となり、17日には障害の程度が強くなった。20日頃からは手が震え、持っていた茶碗を落としたり、睡眠障害で一晩中泣き明かしたり、視力が衰え、全身の痙れんもみられるようになった。６月に手の変形が始まり、肘のところで直角位に屈曲し、手のひらも半分握ったような状態で震え、また流涎（よだれ）がひどくなった。７月10日頃からはえん下障害が現れて、全く食事ができなくなり、８月になると唸るような声をあげて苦悩し、手の変形もひどくなり全身筋肉の強直がみられ、９月には寝返りもできず食欲もなくて、全身の衰弱は強まり、全く言語を失った。

水俣市はチッソを中心とした企業城下町である。水俣市の周辺の漁村を中心に上記のような被害の出る家庭が続出した。水俣病の公式確認は1956年５月。当初は原因がわからず、患者が出た家庭には，人々が近づかなかったり、就職・結婚を断られるなどの差別があった。被害者の家族は差別や偏見にも苦しまなければならなかった。

下記の年表は、水俣病と公害対策の歴史である。どのようなことがわかるだろうか。

【資料2】水俣病関連年表

1906年	野口遵、曽木電気株式会社設立。
1908年	チッソ水俣工場完成。
1930年	朝鮮興南工場硫安製造開始。
1932年	アセトアルデヒドの生産
1941年	塩化ビニール製造開始。(アセトアルデヒドは、合成酢酸の製造とつながり、塩化ビニールなどの製品のもととなるものであった。)
1956年	水俣病公式確認。
1959年	猫実験400号＝チッソは工場廃水が原因とつかんだが、実験結果は秘密にされた。
1959年	見舞金契約：チッソは少額の見舞金を患者に払った が、責任は認めず、新たな補償金は支払わないと契約させた。
1961年	胎児性水俣病患者発生。
1965年	新潟市の男性、水俣病の疑いと診断される。

1967年	公害対策基本法制定、新潟水俣病第一次訴訟、四日市ぜんそく第一次訴訟。
1968年	イタイイタイ病第一次訴訟、政府は水俣病と工場排水の因果関係を認める。 (チッソのメチル水銀が原因であると発表した)
1969年	水俣病第一次訴訟。
1971年	環境庁設置。
1973年	水俣病裁判で患者勝利 。(チッソの責任を認めた)
1979年	水俣病第2次訴訟判決 (原告勝訴) チッソ元社長らに有罪判決。
1993年	環境基本法。
1997年	環境影響評価 (環境アセスメント) 法制定。
1996年	水俣病救済政府解決策　村山首相謝罪。
2000年	循環型社会形成推進基本法。
2004年	水俣病関西訴訟最高判決で、国および熊本県の責任を認める。
2009年	水俣病救済法成立。

一つは、チッソは明治期から水俣に工場があり、朝鮮半島植民地下においては朝鮮にも工場があったこと。二つには、1956年に水俣病は確認されたのにもかかわらず、その原因がチッソの排出するメチル水銀であると究明されたのは1968年であり、解明が遅れたということ。そのために、新潟県阿賀野川流域でも新潟水俣病が発生したこと。四大公害裁判が1967年から始まり、企業責任が認められたのは1973年であること。その間に、環境庁の設置をはじめさまざまな公害対策の法律ができたこと、国や県が責任を認められたのは2004年であることなどが分かる。

また、1990年代からは、公害だけではなく、環境問題として広くとられられるようになり取り組みが発展してきている。公害問題の文言が消え、環境問題の一部として矮小化されたとも言えないことはない。

それ以後、2000年の循環型社会形成推進法に見られるように、限られた資源を有効に活用し、地球環境を保全していくための循環型社会形成が、必要とされてきている。

授業においては、公害によって「いのち」を踏みにじられた多数の患者がいること、同じ過ちを繰り返さないために,「いのち」の被害状況と責任の所在を明らかにし,「ノーモア・ミナマタ」を次世代に伝えることが求められる。

≪発展≫高度経済成長期の公害について全国でどのような被害があったのか、調べてみよう。

≪参考文献≫栗原彬編『証言水俣病』岩波新書、2000年。
宮澤信雄『水俣病事件四十年』葦書房、1997年。

33 障がい者差別解消の取組

障がい者差別について学び、解消のための方策を考えよう。

日本において障がい者差別に関する法整備は進みつつある。2006年に国連総会で採択された「障害者の権利に関する条約」を、日本は2014年に批准した。その過程では、障害者基本法の改正（2011年）、障害者差別解消法の成立(2012年)および障害者雇用促進法の改正(2013年)などが実現している。

【資料1】障害者差別解消法　第1条（目的）
この法律は、障害者基本法の基本的な理念にのっとり、全ての障害者が、障害者でない者と等しく、基本的人権を享有する個人としてその尊厳が重んぜられ、その尊厳にふさわしい生活を補償される権利を有することを踏まえ、障害を理由とする差別の解消の推進に関する基本的な事項、行政機関等及び事業者における障害を理由とする差別を解消するための措置等を定めることにより、障害を理由とする差別の解消を推進し、もって全ての国民が、障害の有無によって分け隔てられることなく、相互に人格と個性を尊重し合いながら構成する社会の実現に資することを目的とする。

この法律では、「不当な差別的取り扱い」の禁止と「合理的配慮」の提供義務が求められている。「合理的配慮」については、「障害者から何らかの対応を求められた際に、過度な負担にならない範囲で機会の平等を保障するために努めること」と説明される。

内閣府のパンフレット[1]では、次のような事例を差別として説明している。

「不当な差別的取り扱い」、「合理的配慮義務違反」はどれだろうか。

- a お店に入ろうとしたら、車いすを利用していることが理由で、断られた。
- b アパートの契約をするとき、「私には障害があります」と伝えると、障害があることを理由にアパートを貸してくれなかった。
- c 災害時の避難所で、聴覚障害のある人がいると管理者に伝えたのに、必要な情報が音声でしか伝えられなかった。
- d 交通機関を利用したいとき、どの乗り物に乗ったらいいのかわからないので職員に聞いたが、わかるように説明してくれなかった。
- e 役所の会議に呼ばれたので、わかりやすく説明してくれる人が必要だと伝えていたが、用意してもらえなかった。
- f スポーツクラブや習い事の教室などで、障害があることを理由に、入会を断られた。

答えは、「不当な差別的取り扱い」がa、b、fで、「合理的配慮義務違反」が、c、d、eとなる。

言うまでもなく、法律ができたからといって障がい者差別が解消されるわけでない。2016年には神奈川県相模原市で「相模原障害者施設殺傷事件」が起こり、無差別で障がい者が殺害された事件は深刻な障がい者差別であった。人々の差別意識の解消と人権感覚の育成が求められるのである。

同時に、差別解消のための運動も大きな影響を与えてきた。次の事例は、1969年に結成された「脳性マヒ」者たちが差別解消のために重要な活動をしていた青い芝の会神奈川県連合会の取り組みである。その取り組みにみなさんはどのようなことを考えるだろうか。

【資料２】青い芝の会神奈川県連合会の取り組み[2]
１　障害児殺害事件に対する減刑嘆願反対運動。 1970年、横浜市で脳性マヒのある子どもが、育児・介護に疲れた母親によって殺害される事件が発生。「可哀想な母親」「施設が足りないのが悲劇の原因」という同情した周辺住民や障害児をもつ親たちから声が上がり、減刑を求める署名運動が行われた。それに対し、青い芝の会は「障害者を殺害した母親が無罪もしくは減刑になれば、障害者はいつ殺されるか分からない。」「親の立場からのみ施設の必要性が訴えられている」と主張し、嘆願に反対。厳正な裁判を求めた。
２　優生保護法改悪反対運動および「胎児チェック」反対運動。 1972～74年、政府は優生保護法に「胎児条項（先天的な障害が見つかった場合には中絶を可とする）」を導入しようとした。これに対し、青い芝の会は胎児の段階から障害者を排除しようとする「障害者抹殺の思想」であるとして反対運動を展開した。
３　川崎バス闘争。 1977～78年にかけて、車いす利用者のバス乗車が拒否される事案が続けて発生。バス会社は、車椅子利用者の乗車の場合、必ず介護人が付添い、車椅子を畳んで座席に移ることを求めた。これに対し、青い芝の会は、普通の人が普段バスに乗るように、自分たちもバスを利用したいと主張。川崎市内では、車椅子のまま強引にバスに乗車するという抗議行動を行った。
４　養護学校義務化阻止闘争。 1972年から文部省は「養護学校義務化」を推進。これに対して、各種障害者団体、障害児をもつ親の会、医療・福祉・教育関係者の団体などの間で激しい議論があったが、青い芝の会は養護学校義務化に対して強硬に反対。その主張の理由は、養護学校は障害児を地域の人間関係から隔離・排除することになるというものであった。

上記の取り組みを見ると、当事者の団体や関係団体による長年の努力の積み重ねがあって、現在の障がい者をめぐる法制化につながっていることが分かる。

≪発展≫内閣府発行「障害者差別解消法リーフレット」を読んでみよう。

---

[1] 内閣府障害者差別解消法リーフレット。
https://www8.cao.go.jp/shougai/suishin/sabekai_leaflet.html

[2] 荒井裕樹『障害者差別を問いなおす』ちくま新書、2020年、41～47頁より抜粋し要約した。

34 民族としての誇り（アイヌの人々）

アイヌの人々が民族としての誇りをもって生活することができ、その誇りが尊重される社会の実現に向けて

日本における人権課題の一つに「アイヌの人々」がある。「令和２年度版人権教育・啓発白書」(2020 年) によると、「アイヌの人々が民族としての誇りを持って生活することができ、その誇りが尊重される社会の実現に向けて、アイヌ政策を総合的かつ継続的に実施していく必要がある」として、学校教育では、アイヌに関する学習を推進している。

具体的には、『小学校学習指導要領解説（平成 29 年告示）社会編』(2017 年) に、「現在の北海道などの地域における先住民族であるアイヌの人々には独自の伝統や文化があることに触れる」ことが新たに明記された。また、中学校では、学習指導要領（平成 29 年告示）社会科に、北方との交易をしていたアイヌについて取り扱う際に、「アイヌの文化についても触れる」ことが新たに明記されている。さらに『高等学校学習指導要領（平成 30 年告示)』では、歴史総合に「北方との交易をしていたアイヌについて触れること」や、その際、「アイヌの文化についても触れること」が明記されている。

そこで、ここでは、2019 年に制定された「アイヌの人々の誇りが尊重される社会を実現するための施策の推進に関する法律」(通称「アイヌ施策推進法」) からアイヌの人々の人権について考えてみたい。

【資料１】アイヌに関する法令等	
1899 年	北海道旧土人保護法制定。
1997 年	アイヌ文化の振興並びにアイヌの伝統等に関する知識の普及及び啓発に関する法律（アイヌ文化振興法）制定。
2007 年	「先住民族の権利に関する国際連合宣言」国連総会で採択。
2008 年	衆参両院「アイヌ民族を先住民族とすることを求める決議」。
2019 年	「アイヌの人々の誇りが尊重される社会を実現するための施策の推進に関する法律」(「アイヌ施策推進法」) の制定。

1899 年に制定された「北海道旧土人保護法」では、アイヌの人々に土地を与えて農民化を促すなど同化政策が推し進められた。

1997 年、アイヌ文化の振興等を図るための施策を推進することにより、アイヌの人々の民族としての誇りが尊重される社会の実現と我が国の多様な文化の発展を目的とした「アイヌ文化振興法」が制定される（これに伴い、旧土人保護法等は廃止)。

2007年に国連で「先住民族の権利宣言」が採択され、翌2008年には、衆参両院で「アイヌ民族を先住民族とすることを求める決議」が採択された。さらに2019年「アイヌ施策推進法」が制定される（これに伴い、アイヌ文化振興法は廃止)。

【資料２】アイヌ施策推進法（一部抜粋）
（目的） 第１条　この法律は、日本列島北部周辺、とりわけ北海道の先住民族であるアイヌの人々の誇りの源泉であるアイヌの伝統及びアイヌ文化が置かれている状況並びに近年における先住民族をめぐる国際情勢に鑑み、アイヌ施策の推進に関し、基本理念、国等の責務、政府による基本方針の策定、民族共生象徴空間構成施設の管理に関する措置、市町村によるアイヌ施策推進地域計画の作成及びその内閣総理大臣による認定、当該認定を受けたアイヌ施策推進地域計画に基づく事業に対する特別の措置、アイヌ政策推進本部の設置等について定めることにより、アイヌの人々が民族としての誇りを持って生活することができ、及びその誇りが尊重される社会の実現を図り、もって全ての国民が相互に人格と個性を尊重し合いながら共生する社会の実現に資することを目的とする。 （基本理念） 第３条　アイヌ施策の推進は、アイヌの人々の民族としての誇りが尊重されるよう、アイヌの人々の誇りの源泉であるアイヌの伝統等並びに我が国を含む国際社会において重要な課題である多様な民族の共生及び多様な文化の発展についての国民の理解を深めることを旨として、行われなければならない。 ２　アイヌ施策の推進は、アイヌの人々が民族としての誇りを持って生活することができるよう、アイヌの人々の自発的意思の尊重に配慮しつつ、行われなければならない。 ３　アイヌ施策の推進は、国、地方公共団体その他の関係する者の相互の密接な連携を図りつつ、アイヌの人々が北海道のみならず全国において生活していることを踏まえて全国的な視点に立って行われなければならない。 第４条　何人も、アイヌの人々に対して、アイヌであることを理由として、差別することその他の権利利益を侵害する行為をしてはならない。

明治期に北海道に入植して以来、アイヌの人々に対する差別が未だに残る中、「アイヌ施策推進法」が制定された。この法律では、アイヌ民族を初めて「先住民族」と認め、差別禁止を明記したほか、アイヌの伝統を守り発展させる施策を国や自治体の責務と定めている。

アイヌの人々への差別をなくすには、学校教育で、「独自の伝統や文化」について充実した学習が展開されることが期待される。

≪発展≫例えば、「アイヌ民族の歴史・文化等に関する指導資料」（札幌市教育委員会）[1]等を参考にアイヌの独自の伝統や文化について調べよう。

---

[1] 札幌市教委員会「アイヌ民族の歴史・文化等に関する指導資料」。
https://www.city.sapporo.jp/kyoiku/top/education/ainu/ainu_minzoku.html

35 脳死と死

学校において、「死」をどう教えたらよいのか。

公民科においては「倫理」において「生と死の問題」について学習する。学習指導要領では、「(1) 人間としての在り方生き方の自覚　イ (ア) 自己の生き方を見つめ直し，自らの体験や悩みを振り返り，他者，集団や社会，生命や自然などとの関わりにも着目して自己の課題を捉え，その課題を現代の倫理的課題と結び付けて多面的・多角的に考察し，表現すること。」と記され、「生命」については，「生命科学や医療技術の発達を踏まえ，生命の誕生，老いや病，生と死の問題などを通して，生きることの意義について思索できるようにすること。」と下線部に記されている。

その際、「死の定義」について考えさせたい。死とはどのような状態を言うのか。脳死の状態とは何か。植物状態との違いは何なのか。

「死の定義」については、従来の死の判定において日本では、「呼吸・脈拍の停止・瞳

【資料1】　臓器移植法6条一　2014年一部改正

第1項

医師は、次の各号のいずれかに該当する場合には、移植術に使用されるための臓器を、死体（脳死した者の身体を含む。以下同じ。）から摘出することができる。

一　死亡した者が生存中に当該臓器を移植術に使用されるために提供する意思を書面により表示している場合であって、その旨の告知を受けた遺族が当該臓器の摘出を拒まないとき又は遺族がないとき。

二　死亡した者が生存中に当該臓器を移植術に使用されるために提供する意思を書面により表示している場合及び当該意思がないことを表示している場合以外の場合であって、遺族が当該臓器の摘出について書面により承諾しているとき。

第2項

前項に規定する「脳死した者の身体」とは、脳幹を含む全脳の機能が不可逆的に停止するに至ったと判定された者の身体をいう。

第3項

臓器の摘出に係る前項の判定は、次の各号のいずれかに該当する場合に限り、行うことができる。

一　当該者が第一項第一号に規定する意思を書面により表示している場合であり、かつ、当該者が前項の判定に従う意思がないことを表示している場合以外の場合であって、その旨の告知を受けたその者の家族が当該判定を拒まないとき又は家族がないとき。

二　当該者が第一項第一号に規定する意思を書面により表示している場合及び当該意思がないことを表示している場合以外の場合であり、かつ、当該者が前項の判定に従う意思がないことを表示している場合以外の場合であって、その者の家族が当該判定を行うことを書面により承諾しているとき。

孔散大」の３つの徴候を持って、「死」と判断してきた。ところが、1997 年「臓器移植法」が施行され、2009 年には、６条を中心に改正追加された（資料１下線部の部分）。「死の定義」についてどのような変化があったのか。資料１「臓器移植法」から読み取ってみよう。

第１項、第２項に出てくるように、「脳幹を含む全脳の機能が不可逆的に停止するに至ったと判定された者」として、「脳死」が認定されている。ただし、臓器移植に限って、脳死を死と認めている。

また、臓器移植については、生存中に本人が意思表示した書面が表示されている場合や家族が承諾した書面によって「脳死」認定が行われる。現在では 15 歳未満の脳死下での臓器提供も家族の承諾で行われるようになっている。

【資料２】免許証の裏側にある意思表示カード

備　考

以下の部分を使用して臓器提供に関する意思を表示することができます（記入は自由です。）。
記入する場合は、１から３までのいずれかの番号を○で囲んでください。
1．私は、脳死後及び心臓が停止した死後のいずれでも、移植のために臓器を提供します。
2．私は、心臓が停止した死後に限り、移植のために臓器を提供します。
3．私は、臓器を提供しません。
《１又は２を選んだ方で、提供したくない臓器があれば、×をつけてください。》
【心臓・肺・肝臓・腎（じん）臓・膵（すい）臓・小腸・眼球】

（特記欄：　）
《自筆署名》
《署名年月日》　年　月　日

意思表示カードについては、マイナンバーカードや免許証の裏側にも記載できるようになってきている。臓器移植に限って、法的に死の定義は変更された。はたして脳死を死と認めてよいのだろうか。生徒たちにぜひ議論させたいテーマである。

同時に、臓器移植の是非についても議論の中で当然関連づけられることとなる。

≪発展≫厚生労働省は臓器移植について「教育用普及啓発パンフレット」を作成している。それを読んで生徒たちに考えさせたい部分を抜き出してみよう。

≪参考文献≫厚生労働省『臓器移植教育用普及啓発パンフレット』。
https://www.mhlw.go.jp/bunya/kenkou/zouki_ishoku/gaiyo_03.html

36 戦争遺跡と平和学習

地域の戦争遺跡を利用した平和学習を実践するには？

公民科では、倫理の「Ｂ現代の諸課題と倫理」において「平和」に関して「倫理的課題を設定，探究し，自分の考えを説明，論述することができるようにする。」とされている。その際、「人類全体の福祉の向上といった視点からも考察し，構想できるようにすること」（内容の取扱い）とし、「例えば，人類が 20 世紀において二度の世界大戦を経験したこと，現在も様々な地域で紛争が続いていることを踏まえ，どうすれば平和な世界にすることができるのかといった視点から倫理的課題を見いだし，探究する活動が考えられる。」と示されている。ここでは、「生徒や学校，地域の実態などに応じて課題を選択し，主体的に探究する学習を行うことができるよう工夫すること」（内容の取扱い）も記されている。

地域に残る戦争遺跡を活用しての平和学習を提案したい。ここでは特攻隊に関する戦争遺跡を紹介する。

【資料１】事例１　鹿児島県南さつま市に残る万世陸軍特別攻撃隊基地の戦争遺跡

1942 年に新たな飛行学校の候補地として万世町（当時）は飛行場建設を誘致した。ところが、飛行場予定地には網揚集落 83 戸があり、町の要請によって集落ごと強制移住させられた。戦況が厳しくなる中、知覧に続いて万世も特攻基地となっていった。

当時を偲ぶ戦争遺跡は基地の正門の石柱と裏門に残る石柱である。正門は営門と呼ばれ、特攻隊員が出入りしたところである。裏門は基地整備の土や飛行場整備の資材などを運ぶ荷物車や軍用トラックの出入り口であった。その他は、排水溝の跡や貯水池の跡しか残っていない。今では、その地に特攻基地があったとは想像できない風景となっている。

万世の飛行場建設には周辺の住民が根こそぎ動員となった。周囲の学校からの動員も多く、小学生も芝植えをさせられた。それでも人手が足りず、大勢の朝鮮人・中国人労働者が動員された。万世特攻平和記念館の資料では、朝鮮人労働者は約 500 名、中国人労働者は中国兵捕虜を中心にして約 100 名と説明されている。この中国人・朝鮮人労働者は強制連行・強制労働との関連で語られることが多い。

万世特攻基地からは 17 歳の少年飛行兵を含め 200 人近い隊員が沖縄を目指して飛び立っていった。

【資料２】事例２　宮城県東松島市に残る特攻隊の戦争遺跡

第２次世界大戦末期の 1944 年 11 月、日本軍の大本営は本土決戦を想定した作戦を策定し、実行に移していた。東北の中心都市である仙台方面においても連合軍上陸地点の一つとして大曲海岸（現在の東松島市）を想定していた。上陸阻止のため海軍の特別攻撃隊として震洋隊が準備されていた。任務に就いていたのは、予備学生であった。彼等は軍の極秘事項として秘密裡に本土上陸阻止のために任務を続けていた。

その震洋基地の跡として、宮戸島にその時の洞窟が残っている。宮戸島の畳石浦、大鮫浦、小鮫浦の３つの浜の岩陰に特攻船震洋を隠すための洞窟である。震洋は全長６．５ｍの二人乗り小型ボートであった。前方に250kg の爆弾が積まれ、敵の艦隊に体当たりして攻撃するというもの。その小型ボートはベニヤ製のもので、操縦するのは予科練出身の少年だった。準備の段階で日本の敗戦となり、実行に移されることはなかったが、当時の隊員は次のように語っている。

「あの時15歳だった私は、ここで、毎日、相方と突撃訓練をしていました。今日死ぬのか、明日死ぬのか分からない時が続いていました…。」（楠部隊 前村通（鹿児島出身））

事例は鹿児島県南さつま市と宮城県東松島市の特攻に関する戦争遺跡である。二つの記事から分かることは、特攻関連だけでなく、司令部や空襲・疎開、強制労働など全国各地に戦争に関する遺跡が今でも残っているということである。

この遺跡を教材として活用することで、生徒たちは身近な地域に戦争の歴史を感じることとなる。

特に、戦争体験の世代が亡くなり、戦争体験を語れる方々が少なくなっている。体験者の語りを聞くことは、戦争の悲惨さや事実の確認を学ぶ平和学習においては、効果的な取り組みであったが、今後は戦争遺跡を通して学んでいくことが求められる。

自分の住む地域でどのような戦争の爪痕があり、当時の人たちはどのような思いで過ごしていたのかについて主体的に学んでいく学習は公民科においても要請されることである。その歴史的事実を通して、平和な世界を築くためにどのようなことが求められているのかを考えていくことは、倫理的課題と重なっていくテーマとなる。

地域に残る戦争遺跡を調査し、実際に足を伸ばしての見学ができると学びは深いものになることであろう。また、教員自らが戦争遺跡を発見し、教材化していくことも重要な取り組みとなる。

社会認識系教員が期待されていることは、地域の歴史や文化などへの貢献も含まれている。学校での授業だけでなく、地域社会に飛び出し、地域社会と学校を結び付ける取り組みの一つとして戦争遺跡の調査などに取り組んでみたらどうだろうか。

≪発展≫生徒たちが住む地域にはどのような戦争遺跡があるのか、調査してみよう。また、戦時中に地域でどのような事実があったのかについても調べてみよう。

≪参考文献≫山元研二「最後の特攻基地万世と朝鮮人・中国人労働者」林博史編『地域のなかの軍隊６ 九州・沖縄 大陸・南方膨張の拠点』2015 年、108～127 頁。

阿部浩『失われた戦場 宮城県の戦記』倉栄出版、1999 年。

37 倫理教育と道徳教育

公民科の倫理と道徳教育とはどのようにつながるのだろうか。

『高等学校学習指導要領（平成30年告示）解説 公民編』(2018年) では、「『倫理』は、高等学校における道徳教育としての人間としての在り方生き方に関する教育において重要な役割を担っている」と示し、また、「倫理的諸価値に関する古今東西の先哲の思想を取り上げるに当たっては、(中略)、内容と関連が深く生徒の発達や学習の段階に適した代表的な先哲の言説などを扱うこと。また、生徒自らが人生観、世界観などを確立するための手掛かりを得ることができるよう学習指導の展開を工夫すること」と説明している。

では、児童生徒は、中学校までに特別の教科道徳の中で、どのような人物の「人間としての在り方生き方」について学習してきたのであろうか。ここでは、資料をもとに、一部であるが、児童生徒が出会った人物とその言葉を確認したい。

【資料】特別の教科道徳の教科書にみる人物とその言葉（人権教育の視点から)」[1]

教科書会社・学年・人名	教科書に出てくる言葉
東京書籍小学6年 「義足の聖火ランナー～クリス・ムーン」 クリス・ムーン (1962年-)	「わたしは手足を失っても、昔となにも変わっちゃいない。わたしはかわいそうな人ではないし、少しも落ちこんだりしていない。」 「限界にちょう戦する自分のすがたを見せることで、基金をつのり、地雷を一つでも減らすことができれば、自分の人生には意味があるものだと思う。」
日本文教出版小学5年 「マララ・ユスフザイ－一人の少女が世界を変える」 マララ・ユスフザイ (1997年-)	「私は、多くの少女たちの一人としてここに立っています。私の役割は、自分の権利を主張することではなく、声なき人々の声を伝えることにあります。」「親愛なる兄弟姉妹の皆さん、私たちはあらゆる子どもの輝ける未来のために、学校と教育を求めます。」「一人の子ども、一人の教師、一冊の本、そして一本のペンが、世界を変えられるのです。教育以外に解決策はありません。」
光文書院小学4年 「ノーベル賞の生みの親－アルフレッド・ノーベル－」 アルフレッド・ノーベル (1833-1896年)	「そんなつもりで作ったのではない。」「これでみんながばくはつの事故をおそれることなく、ニトログリセリンを使うことができる。」 「わたしのざいさんを、世界中の人々を平和と進歩のために努力をつづけ、役立つことをした人に分けてください。」
廣済堂あかつき中学3年 「虹の国－ネルソン・マンデラ」 ネルソン・マンデラ (1918-2013年)	「アパルトヘイトは、絶対に、なんとしてもなくさなければならない。」「アパルトヘイトが終わるだけでは足りない。この国が本当に生まれ変わるためには、人々の心の壁を取り除かなければならない。だれもがともに喜びを分かち合うことができるような何か、その方法はないか―。

学研小学６年 「どれい解放の父　リンカーン」 エイブラハム・リンカーン （1809–1865 年）	「1863 年１月１日から後、それいこうは永久に自由である。政府は責任をもって、その自由を保証するであろう。」「ここで戦死した勇士たちの死をむだに終わらせないために、神のお守りのもとにもう一度、新しい自由の誕生を祝おうではありませんか。そして、国民の、国民による、国民のための政治が、この地上からほろびないように、固くちかおうではありませんか。」
学校図書小学６年 「マザー・テレサ」 マザー・テレサ （1910–1997 年）	「この世の中で本当に貧しく不幸なことは、お金がないことでも、住む家がないことでも、病気であることでもありません。自分がこの世に必要とされていないと思うことです。この世に生を受けて全ての人は、何か人の役に立つ使命をもって生まれてきたのです。」
教育出版中学３年 「あなたは顔で差別しますか」 藤井輝明 （1957 年–）	「私たち人間には『理性』というものがあります。その嫌悪感を自分の心の中だけに収め、カバーするのが人間ならではの理性です。私としては、この人間ならではの可能性を信じたいのです。理性というと難しいことのようですが、つまりはつらい体験とか、思いをしているんだろうなという共感性のことです。」
光村図書小学６年 「わたしには夢がある」 マーティン・ルーサー・キング・ジュニア （1929–1968 年）	「わたしには夢があります。この国が立ち上がり、『全ての人間が平等につくられたということはいうまでもない』とする国の信条を、本当の意味で実現する日がいつか来る、という夢が。私には夢があります。この国に住むわが子４人が、はだの色ではなく、人としての在り方で評価される日がいつか来る、という夢が。」
日本教科書中学３年 「苦悩の決断」 杉原千畝 （1900–1986 年）	「私はビザを出そうと思う。一枚のビザが彼らの生死を分ける。見捨てるわけにはいかない。人として、人間として私は選択した。政府の命令に背くことは、この仕事を辞めさせられる覚悟でのことと知っておいてくれ。」

資料に示すように歴史的に人権侵害に立ち向かう先人の姿や、世界の人権課題に立ち向かい行動する人々が、比較的多く取り上げられている。中でも、小学校や中学校の複数の教科書で取り上げられている人物が、マザー・テレサや杉原千畝である。また、マーティン・ルーサー・キング・ジュニアやエイブラハム・リンカーン、マハトマ・ガンジーなど、人種差別の解消に尽くした人物も多く取り上げられている。

本資料は一部ではあるが、高校で倫理の授業を構成する際に、中学校での特別の教科道徳の内容 22 項目を確認するなど、これまでの道徳教育との関連性を踏まえて授業実践に臨むことが大切である。

≪発展≫それぞれの人物について、人間としてどのような生き方をしたのか調べてみよう。

[1] 小学校は、2018 年度版の検定教科書、東京書籍、日本文教出版、光文書院、廣済堂あかつき、学研、学校図書、教育出版、光村図書の計８社。中学校は、2019 年度版検定教科書、東京書籍、日本文教出版、廣済堂あかつき、学研、学校図書、教育出版、光村図書、日本教科書の計８社。各教科書会社の発行する特別の教科道徳の検定教科書から、人権教育の視点を踏まえ、1 名ずつピックアップした。

38 先人の哲学者思想の授業づくり

先哲（先人の哲学者）の思想を教える際に、留意すべきことは何か。

倫理においては、先哲の思想家として次のような人物が示されている。

【資料】倫理の教科書に登場する主な先哲の思想家（古代ギリシアから近世まで）
1古代ギリシャの思想：ソクラテス、プラトン、アリストテレス、エピクロス、ゼノン 2中国思想：孔子、墨子、孟子、荀子、韓非、朱子、王陽明、老子、荘子 3仏教の受容と展開：聖徳太子、行基、鑑真、最澄、空海、源信、空也、法然、親鸞、一遍、叡尊、栄西、道元、日蓮、 4近世の道徳：林羅山、山﨑闇斎、新井白石、雨森芳洲、貝原益軒、三浦梅園、中江藤樹、熊沢蕃山、山鹿素行、伊藤仁斎、荻生徂徠、賀茂真淵、本居宣長、平田篤胤、鈴木正三、石田梅岩、二宮尊徳、安藤昌益、佐久間象山、吉田松陰、横井小楠

近世までを挙げたが、多数の先哲の思想家が紹介されている。みなさんは、どのように教えるだろうか。

では、次の３人の学生が構想した授業デザインを読んで、倫理において先哲の思想の授業づくりをもっとも適切に進めようとしているのはどれだと考えるだろうか。

【テーマ型】 学生A：私は、実存主義の思想家であるサルトルの思想を手引きとして、人間の自由なあり方について考察する授業を計画したい。導入で教科書記述をもとにして、サルトルの基本的な思想に関する概念（即自と対自、自由、無、責任、アンガジュマン等）を教師側で解説し理解させる。展開で、特に「自由」にテーマをしぼり、「人間は自由であると言える／自由であるとは言えない」について最初は個人で考察させ、グループで議論させ、最後はグループ代表に考えをまとめさせ、クラス全体で発表させたい。まとめは、教師による授業全体の総括を考えている。
【時代状況型】 学生B：私は実存主義の思想としてニーチェを取り上げる。授業のねらいは、①ニーチェの考え方を理解し、説明できるようにすること、②現代の生き方をニーチェの考えから読み取り、自分たちで話し合って考えるということにした。授業タイトルを「神は死んだ！？ニーチェ」とし、導入では前時のキルケゴールの実存主義を確認させ、ニーチェとの相違の伏線とする。展開ではニーチェが活躍した19世紀後半の世界情勢を確認させ、「戦争・革命」などのキーワードが時代背景とあったことを理解させる。そしてニーチェのキリスト教批判（ルサンチマン）を説明し、「ニーチェが『神は死んだ』と言ったのはなぜか？」の問いを自分の言葉で表現させる。ペアで意見交流させ、ニヒリズム・超人について説明する。最後に、「ニーチェは現代を見たら、どう生きるべきだというか」と問い、ニーチェの考えを現代とつなげて考えさせるようにしたい。

【対比型】

学生C：鎌倉仏教の思想として、絶対他力の信仰を唱えた親鸞を取り上げる。概念を丸暗記する傾向にある学習内容だが、私は浄土真宗の寺院の写真などを見せて、理解を実際的なものにしたい。授業では導入で前時に学習する法然と対比する形で進めていく。まず、写真を見せて、親鸞の思想が浄土真宗の寺院の様子に表れていることを示す。「悪人正機説」「絶対他力」について理解させ、法然と親鸞の相違点に注目させる。易行を重視する姿勢は共通するが、阿弥陀仏への信仰がより重視されたことを理解させる。まとめとして「生き方」をめぐる問題との関連で、現代に生きる自分はこの思想をどう考えるか、考察させる。

2018年版学習指導要領においては、「倫理」における改善・充実の要点として、次のように学習の進め方について明示している。

「先哲の原典の口語訳などの読み取り，哲学に関わる対話的な手法の導入」

「倫理に関する概念や理論を身に付け自己の生き方に役立てていくためには，部分的にでも先哲の著作を読んでその思索の過程や表現に触れ，自己の課題や現代の諸課題と関わらせてその意義について思索することが必要である。」

「読み取った内容を手掛かりとすることによって先哲を含む他者の考えと自分自身の考えを付き合わせて吟味し，自身の考えを広げ深めることができるようにすることを目指している。」

先哲の思想はこれまで「倫理」の中でも主要な位置にあり、生徒たちが直面している問題を先哲の思想を活用しながら考えていけるようにすることが大切であるとされてきた。対立する図式を意識させるようにする手法、たとえばプラトンとアリストテレス、カントとヘーゲルを対比させながら考えていけるような工夫がなされてきた[1]。

上記の指摘を考えると、学生A、B、Cともに、先哲の原典の口語訳などの一部を資料で活用したかがまずは問われる。

次に、「対話的な手法などを取り入れ他者と協働して学習する活動」が学習指導要領では重視されている。A、B、Cはともに説明だけでなく、先哲の思想を学んだ後に自分自身で考察し、他者と協働する場面を準備している。

対立する図式の活用については、B、Cには見られる。特にCは比較することで先哲の思想が明確になる。

時代状況を踏まえているのはBである。なぜそのような思想が生まれたのかを時代と関連づけることで理解が深まり、同時に現代と重ね合わせることができている。

≪発展≫先哲の思想家を選び、指導案を書いてみよう。

---

[1] 臼井嘉一・柴田義松編『社会・地理・公民科教育法』学文社、1999年、180～189頁。

39 消費者教育

消費者教育の推進の理由は何か。

高等学校では、公民科や家庭科だけでなく、総合的な学習や特別活動などを利用して学校全体で消費者教育の取り組みが求められている。それは、2022 年からの成年年齢 18 歳引き下げにより、契約のトラブルを防ぎ、自立した消費者市民となることを期待したものであると推測できよう。公民科でも消費者主権としての育成が求められている。

消費者庁は右のような「高校生向け消費者教育教材（生徒用教材「社会への扉」）」[1]を作成している。「12 のクイズで学ぶ自立した消費者」という副題で、「契約」「お金」「暮らしの安全」「消費生活センター」「消費者市民社会の実現」などの教材を作成し、消費者教育の推進を図っている。

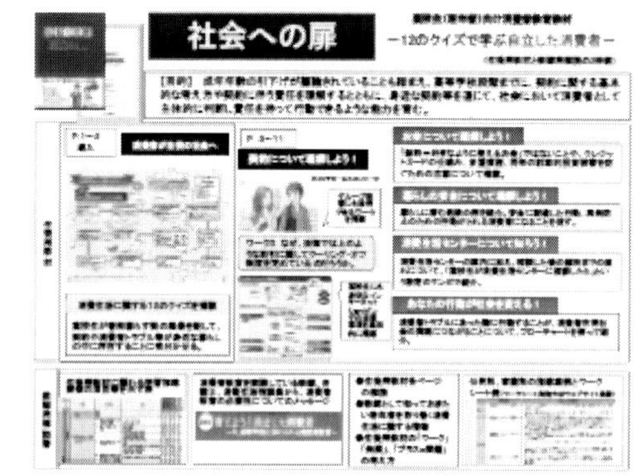

【資料】12 のクイズ：いくつかを抜粋。実際にクイズを解いてみよう。（解答はＨＰで確認しよう。）
Ｑ１　店で買い物をするとき、契約が成立するのはいつ？ ①商品を受け取ったとき。　②代金を払ったとき。　③店員が「はい、かしこまりました」と言ったとき。 Ｑ２　店で商品を買ったが、使う前に不要になった。解約できる？ ①解約できない。　②レシートがあり１週間以内なら解約できる。　③商品を開封していなければ解約できる。 Ｑ３　17 歳の高校生が、保護者に内緒で 10 万円の化粧品セットを契約した。この契約は取り消せる？ ①取り消すことはできない。　②未成年者取消しができる。　③保護者が取り消しを求めたときのみ、未成年者取消しができる。 Ｑ５　ネットショップでＴシャツを買ったけど似合わない。クーリング・オフできる？ ①クーリング・オフできない。　②契約してから 14 日間ならクーリング・オフできる。　③商品が届く前ならクーリング・オフできる。 Ｑ８　自動車教習所へ通うため金融機関から 20 万円を年利（金利）17％で借りた。毎月 5,000 円ずつ返済した場合の返済総額は？ ①　約 23 万円　②約 26 万円　③約 29 万円

市場経済の前提である消費者主権は、高度経済成長期頃から消費者の利益が損なわれる消費者問題を契機としてクローズアップするようになってきた。欠陥商品や薬害、悪質商法、誇大広告などの問題が社会問題化し、消費者運動が活発に繰り広げられ、地方自治体に消費生活センター、政府には国民生活センターが設置されるようになった。1968 年に消費者保護基本法が制定されたが、2004 年からは消費者保護の基本的枠組みとなった消費者基本法と改訂された。2009 年には消費者庁が設置され、製造物責任法（ＰＬ法）、クーリング・オフ制度、消費者契約法などが消費者救済のために法制化されている。

学校における消費者教育については、2012 年 12 月から施行された「消費者教育推進法[2]」３条で、「消費生活に関する知識を修得し、これを適切な行動に結び付けることができる実践的な能力が育まれることを旨として行わなければならない」とされた。消費者教育が体系的に実施されるように幼児期から高齢期までのライフステージごとにその推進が求められている。

2018 年版学習指導要領改訂との関連

2018 年版高等学校学習指導要領の改訂のポイントでは、「教育内容の主な改善事項」の中の「その他の重要事項」として消費者教育もうたわれている。「多様な契約、消費者の権利と責任、消費者保護の仕組み」については、公民科と家庭科での教育課程が組まれている。

公民科の学習指導要領では、2022 年４月１日より成年年齢が 18 歳に引き下げられることから、契約について、「自主的かつ合理的に社会の一員として行動する自立した消費者の育成のため，また，若年者の消費者被害の防止・救済のためにも，こうした消費者に関する内容について指導することが重要である。」と説明している。具体的には、科目「公共」の「Ｂ自立した主体としてよりよい社会の形成に参画する私たち」において、「(１) 主として法に関わる事項」に関連付けられ、「多様な契約及び消費者の権利と責任」について知識・技能を修得することを求めている。

≪発展≫消費者庁「社会への扉」をネットで調べてみよう。学習内容の要素を書き出し、それらの教材についての有効性について検討してみよう。

---

[1] 消費者庁「高校生向け消費者教育教材（生徒用教材「社会への扉」)」。
https://www.caa.go.jp/policies/policy/consumer_education/public_awareness/teaching_material/material_010/student.html

[2] https://www.caa.go.jp/policies/policy/consumer_education/consumer_education/law/

II

学校教育のための探究テーマ

40 人権が保障される学校

マスコミ報道から考える学校教育の課題、人権が保障される学校

近年、学校教育に関して、報道等によるマイナスイメージが定着して、教師を目指す人材の減少につながっているという指摘がある。資料１は1995年度から2020年度までの「公立小学校の受験者数・採用者数・競争率（採用倍率）の推移」（文部科学省参照）である[1]。この表を見てどんなことに気づくだろうか。

【資料１】「公立小学校の受験者数・採用者数・競争率（採用倍率）の推移」（文部科学省参照）

年度	競争率（倍）	採用者総数（人）	受験者総数（人）	年度	競争率（倍）	採用者総数（人）	受験者総数（人）
1995	7.4	18,407	136,551	2008	6.5	24,850	161,300
1996	8.4	17,277	145,681	2009	6.1	25,897	158,874
1997	8.8	16,613	146,932	2010	6.2	26,886	166,747
1998	10.4	14,178	147,542	2011	6.0	29,633	178,380
1999	12.3	11,787	145,067	2012	5.8	30,930	180,238
2000	13.3	11,021	147,098	2013	5.8	31,107	180,902
2001	11.7	12,606	147,425	2014	5.7	31,259	177,820
2002	9.0	16,688	150,977	2015	5.4	32,244	174,976
2003	8.3	18,801	155,624	2016	5.2	32,472	170,455
2004	7.9	20,314	160,357	2017	5.2	31,961	166,068
2005	7.6	21,606	164,393	2018	4.9	32,986	160,667
2006	7.2	22,537	161,443	2019	4.2	34,952	148,465
2007	7.3	22,647	165,251	2020	3.9	35,058	138,042

2020年度の競争率は、最低の3.9倍となっており、ここ10年間の競争率（採用倍率）の推移で見ると減少傾向である。また、受験者数の推移も2013年度の180,902人を境に減少している。ただ、過去の競争率の最低値は、1991年度の3.7倍で、受験者数の最低値は、1992年度の110,949人である。これと比べると、2020年度は約２万人以上も多い138,042 人が受験している。しかしながら、近年は、競争率同様に受験者数も減少傾向である。

その原因の一つに教職員の多忙化や過酷な労働などメディアによる報道の影響があげられている。今、教職員の働く環境の改善は、学校教育にとって喫緊の課題となっている。それは、教職員の穏やかな環境の下で働く権利を守ることにつながる。

一方、学校教育のマイナスのイメージをもたらすような報道内容は、このほかにも多岐にわたっている。例えば、いじめや学校事故に関して、学校・教師が裁判に訴えられる報道を目にする。また、増加する不登校の児童生徒、校則問題や行き過ぎた指導に関する報道、体罰やわいせつ行為、ハラスメントなど教職員の懲戒処分に関する報道等は枚挙に暇がない。つまり、これらを改善していくことは、子どもの穏やかな環境で生活する権利を守ることにつながる。

このような学校教育の現状に対し、その信頼を高めるために、教職員には「人権尊重」や「コンプライアンス」に対する意識を高めることがますます求められている。では、教職員としての職責を果たすための「基本的姿勢」とはどんなことだろうか。例えば神奈川県教育委員会が示す資料２「教員に求められる基本姿勢」[2]を見てみよう。

【資料２】教員に求められる基本姿勢（神奈川県教育委員会）	
（1）人権の尊重	（2）法令遵守・信用失墜行為の禁止
（3）自己啓発や能力開発	（4）地域社会の一員としての自覚

（1）人権の尊重≪求められる行動≫

- ○ 常日ごろから人権感覚を磨き、基本的人権の尊重の視点をもって、人権に十分配慮して職務に取り組むことが必要です。
- ○ 常に全体の奉仕者として人権指針の基本理念にのっとり、職務を遂行することとし、次の点に留意して、教育活動に取り組んでください。
  - ・常に人権尊重の視点に立って行動する。
  - ・人権問題を自分自身の問題として考える。
  - ・常に職務や研修を通して人権感覚を磨く。
  - ・個人情報の保護と情報管理を適切に行う。
  - ・人権課題についての状況を把握し、適切に対応する。

教職員には、教科指導や生徒指導の能力が当然求められるが、基本姿勢の第一として、まず、「人権の尊重」をあげている。具体的には、「教員自身の人権感覚を磨く」ことや、教職員自身が「人権課題について状況を把握し、適切に対応する」ことを、人権尊重の行動として求めている。

そこで、本章（第Ⅱ章）「学校教育のための探究テーマ」では、教職員と労働問題や、学校教育と裁判、教職員として認識すべき人権課題などについての探究テーマを設定する。

≪発展≫マスコミが報道している学校教育の様々な問題と人権やコンプライアンスとの関連を探ってみよう。

---

[1] 文部科学省「公立学校教員採用選考試験の実施状況」を参照。

[2] 神奈川県教育委員会「教員のコンプライアンスマニュアル」2018 年。

41 総合教育会議と教育行政

教育行政組織はどのような仕組みになっているのだろうか。

みなさんは教員免許を取得して国立・公立学校の教員になると、勤務先の学校が所属する各自治体の教育委員会の指導監督を受けることになる。公民科教員の場合は、各都道府県教育委員会に指導監督を受けることが多いが、市立や区立などの場合は、その自治体の教育委員会に所属することになる。

教育委員会の組織およびその教育行政の内容については、「地方教育行政の組織及び運営に関する法律」に規定されている。これまで数度の改正を重ねて内容は変更されてきている。この法律の特質は、「①教育の政治的中立と教育行政の安定の確保」「②教育行政と一般行政との連係・調和」「③国、都道府県、市町村を一体とした教育行政制度の樹立」である。2013年４月安倍内閣による教育再生実行会議の提言により、2014年６月に教育委員会制度が大幅に変更された。次の法律の条文から教育行政組織のキーワードを探そう。

【資料１】地方教育行政の組織及び運営に関する法律
第１条２（基本理念）地方公共団体における教育行政は、教育基本法の趣旨にのっとり、教育の機会均等、教育水準の維持向上及び地域の実情に応じた教育の振興が図られるよう、国との適切な役割分担及び相互の協力の下、公正かつ適切に行わなければならない。
第１条３　地方公共団体の長は、教育基本法第 17 条第１項に規定する基本的な方針を参酌し、その地域の実情に応じ、当該地方公共団体の教育、学術及び文化の振興に関する総合的な施策の大綱を定めるものとする。 ２　地方公共団体の長は、大綱を定め、又はこれを変更しようとするときは、あらかじめ、…総合教育会議において協議するものとする。 第３条（組織）教育委員会は、教育長及び４人の委員をもって組織する。… 第17条（事務局）教育委員会の権限に属する事務を処理するため、教育委員会に事務局を置く。 第18条（指導主事その他の職員）都道府県に置かれる教育委員会の事務局に、指導主事、事務職員及び技術職員を置くほか、所要の職員を置く。 ２　市町村に置かれる教育委員会の事務局に、前項の規定に準じて指導主事その他の職員を置く。

上記の条文から教育委員会の組織と運営はどうなっているのだろうか。

キーワードを抜き出すと、「地方公共団体の長、教育大綱、総合教育会議、教育委員会、教育長、４人の教育委員、事務局」であろう。

2014年の制度変更によって大きく変わったのは、キーワードに「地方公共団体の長」＝首長が登場したことである。その首長が教育大綱を策定し、総合教育会議を開き、教育行政に対して権限の拡大、強化がなされた。

では、教育総合会議とは具体的にどのようなものなのか、見ていこう。

【資料２】A町における教育総合会議の様子
出席者：町長、教育長、教育委員４名、教育委員会事務局（学校教育課長、生涯教育課長、関連職員）
議題内容 １開会　２町長挨拶　３教育長挨拶　４報告事項　町内の小・中学校の現状について ５議事（司会は町長） (1) 生涯学習課の各種事業の状況について －運動公園、社会体育施設の整備状況・計画について (2) 学校における今後の新型コロナ対策について (3) その他　６その他　７閉会

上記の教育総合会議は原則公開であり、内容については議事録にまとめられ、各自治体のホームページに掲載されている。上記の会議では、文化・スポーツ振興のために生涯学習課を中心にして運動公園や各施設の整備状況や計画が示され、内容について教育委員から質問が出され、事務局から説明があった。また、学校教育課からは今後のコロナ対策について具体的な方策が示され、教育委員からはリモートの活用についての質問や意見が出された。それを受けて事務局からの回答があり、町長からはネット環境整備についての説明があった。

このように、自治体によっては教育総合会議をもとにして学校教育や生涯教育関連の整備計画についての充実した議論ができ、それを受けて教育長の具体的な対応につながっていった。また、町長は教育行政についての必要な予算措置を考える契機となっている。

ところが、最近では、この総合教育会議が形式的になっているという批判もある。心配されるのは、首長が教育行政に権限を拡大して、混乱を起こすことも考えられることである。「地方教育行政の組織及び運営に関する法律」では、何よりも「①教育の政治的中立と教育行政の安定の確保」に特質がある。教育が政治によって支配されることなく、地域住民としての子どもたちの教育のための環境整備および住民の生涯教育のための取り組みが求められている。

≪発展≫自分の住む自治体のホームページから、教育総合会議でどのような議論がなされているのか、調べてみよう。

≪参考文献≫若井・坂田・梅野編『2021 年度版必携教職六法』協同出版、2020 年。

42 教職の課題と人権の課題

社会的課題、教育的課題、人権に関わる課題は、教職の課題でもある。

難民問題や貧困、紛争、疾病等をめぐる国際社会の課題、生活や教育の格差、いじめや虐待、過労死などの社会的課題、これらの諸課題と教育の課題は無縁ではない。資料１は、2016 年５月に日本で開催されたＧ７における教育大臣会合[1]の宣言（倉敷宣言）を整理したものである。文部科学省が資料を公開しているので、原文を確認しておきたい[2]。

【資料１】　2016 年Ｇ７教育相会合「倉敷宣言」のキーワード ※（）内の数字は宣言に付された項目番号。
［１］現状理解に関するキーワード （２）グローバル化、技術革新、ＡＩ、ＩｏＥ、(18) ＳＴＥＭ、(20) ＩＣＴ、(23) 第４次産業革命、(25) ソーシャルメディア ［２］課題として示されたキーワード （２）貧困、格差、紛争、テロリズム、難民、移民、環境、気候変動、(7) 暴力、人種差別、(15) 排他、疎外、不平等、社会的経済的に不利な立場の子ども、特別な支援を要する子ども、虐待やいじめに苦しむ子ども、不登校の生徒、ＮＥＥＴ、性的指向や性自認を理由とした差別に苦しむ子ども、(39) 脆弱で不利な状況にある人々（特に女児・女性） ［３］教育的対応の必要性を指摘するキーワード （３）他者理解、マイノリティの人権の尊重、（４）自他の生命の尊重、自由、民主主義、多元的共存、寛容、法の支配、人権の尊重、社会的包摂、非差別、ジェンダー平等、市民教育、（８）文化間の対話、相互理解、他者への思いやり、ホスピタリティの精神、(10) コミュニケーション能力、コラボレーション能力、創造性、批判的思考、問題解決力、困難から立ち直る力、(11) 異なる考え方や価値観に対する寛容な精神、多文化共生社会、(14) 多様性、多様な人々の包摂と協働、異なる文化の人々と協働する力、グローバル化に対応した能力、(15) 個別性や多様性の尊重、(16) 性別に関する固定観念の払拭、(20) 汎用的スキル、社会的包摂への貢献、(23) ＩＣＴを用いた質の高い教育、(24) ＩＣＴが持つ遠隔教育の可能性、(25) 虚偽の情報と現実の区別、(28) 総合的なアプローチ、(39) ジェンダーに基づく暴力や差別のない、安全でインクルーシブで効果的な学習環境、(42) 人間の尊厳の保持

教育大臣会合（倉敷）のテーマは「教育におけるイノベーション」であった。[1] の「現状理解に関するキーワード」を見る限り、人権と密接にかかわる課題とは感じられないかもしれない。しかし［２］に整理した「課題として示されたキーワード」としては、貧困、格差、紛争、テロリズム、難民、暴力、人種差別等の課題、社会的経済的に不利な立場の子ども、特別な支援を要する子ども、虐待やいじめに苦しむ子ども、不登校の生徒、ＮＥＥＴ、性的指向や性自認を理由とした差別に苦しむ子ども、

など、困難な環境にある子どもの姿が、さらに、[3]においては、これらの課題に対して、今後、どのような教育的施策が必要なのかを示す語として、人間の尊厳、非差別、寛容、多様性、異なる文化、平等、他者理解、包摂と協働、コミュニケーション等の語が、列挙されている。

イノベーションは、さながら計測可能な学力を高めるに効果的であることをもって推奨されるのではない。その成果が、どの方向に、誰に対して向けられるのか、を見極めることが重要である。新たに開発された技術と適用、イノベーションは、真に教育を必要とする全ての人々に対して、どのように貢献するものとなるのか、そのために、どのような方策があり、課題を解決しなければならないのか、である。

教育においては、人として当然に尊重されるべき人権を踏みにじられた人々の存在、人権をめぐる深刻な現実に正対し、打開に向かう取組と密接に結び付くものであるからこそ、イノベーションが期待されるのである。

【資料2】倉敷宣言第45節
45.Finally, we highlight that the Kurashiki declaration, which represents our determination to drive reform of education while looking towards the future, cannot be achieved without daily effort by those on the front line who work with students and engage in educational activities.

資料2は倉敷宣言の第45節の文章である。とりわけ、「前線で学生や生徒と向き合い教育活動に携わる人々の日々の努力なくしては成り立たないものである」との指摘を大切にしたい。国際社会の課題、社会的課題の指し示す方向は、常に教育的課題と重なっていく。そしてこのことの解決は、教育者の日々の営為なくしては、なしえない。「この理想の実現は、根本において教育の力にまつべきものである。」とする教育基本法・旧法(1947年)前文の言葉とともに、人権尊重の視点から社会的課題を見直す教職の意義を考えたい。

≪発展≫外務省HP等を活用して国際会議等を検索し、社会的課題と人権、人権教育との密接な関係を確認してみよう。

≪参考文献≫梅野正信「人権教育をとりまく現状について」岡山県教育委員会『教育時報』第815号、2017年。

---

[1] 教育大臣会合の参加国、地域はドイツ、カナダ、フランス、イタリア、日本、イギリス、カナダ、アメリカの7か国とEU。UNESCOとOECDはオブザーバー参加。
[2] 文部科学省HP　https://www.mext.go.jp/a_menu/G7/

43　人権課題と法の制定

人権に関わる個別的な課題ごとに法律が制定されはじめた。

社会的に困難な立場におかれた人々に対して、その権利を保障するための法律がある。資料１は人権教育・啓発に関する基本計画（閣議決定2002）に、記された人権課題の一部と、課題に対応して定められた法律である。法律は、近年になって制定されたことがわかる。

【資料１】人権教育・啓発に関する基本計画と人権課題に対応した法律

女性　　：配偶者暴力防止法（2001年）。
　　　　　男女雇用機会均等法（2016年改正）ほか。
子ども　：いじめ防止対策推進法(2013年)。
　　　　　子どもの貧困対策の推進に関する法律(2013年)ほか。
高齢者　：高齢者虐待防止法（2005年）ほか。
障害者　：障害を理由とする差別の解消の推進に関する法律(2013年)ほか。
同和問題：部落差別の解消の推進に関する法律（2016年)ほか。
アイヌの人々：アイヌの人々の誇りが尊重される社会を実現するための施策の推進に関する法律(2019年)ほか。
外国人　：本邦外出身者に対する不当な差別的言動の解消に向けた取組の推進に関する法律（2016年)ほか。
ＨＩＶ感染者・ハンセン病患者等：感染症予防法(1998年)。
　　　　　ハンセン病問題の解決の促進に関する法律（2008年）ほか。
犯罪被害者等：犯罪被害者基本法(2004年）ほか。

資料２は、法律の前文や条文に示された法制定の趣旨を一部抜粋したものである。人権課題に対応した法律には、それぞれの課題に関わる記載がある。できれば、法の全文を確認しておきたい。

【資料２】　人権課題に対応した法律（いずれも一部抜粋)

(1)　いじめ防止対策推進法(2013年)
（第１条）この法律は、いじめが、いじめを受けた児童等の教育を受ける権利を著しく侵害し、その心身の健全な成長及び人格の形成に重大な影響を与えるのみならず、その生命又は身体に重大な危険を生じさせるおそれがあるものであることに鑑み、児童等の尊厳を保持するため、(略)

(2)　子どもの貧困対策の推進に関する法律(2013年)
（第１条）　この法律は、子どもの将来がその生まれ育った環境によって左右されることのないよう、貧困の状況にある子どもが健やかに育成される環境を整備するとともに、教育の機会均等を図るため、(略)

(3)　障害を理由とする差別の解消の推進に関する法律

（第１条）　全ての障害者が、障害者でない者と等しく、基本的人権を享有する個人としてその尊厳が重んぜられ、その尊厳にふさわしい生活を保障される権利を有することを踏まえ、（中略）障害を理由とする差別の解消を推進し、もって全ての国民が、障害の有無によって分け隔てられることなく、相互に人格と個性を尊重し合いながら共生する社会の実現に資することを目的とする。

(4)　本邦外出身者に対する不当な差別的言動の解消に向けた取組の推進に関する法律（2016年）

（前文）　我が国においては、近年、本邦の域外にある国又は地域の出身であることを理由として、適法に居住するその出身者又はその子孫を、我が国の地域社会から排除することを煽動する不当な差別的言動が行われ、その出身者又はその子孫が多大な苦痛を強いられるとともに、当該地域社会に深刻な亀裂を生じさせている。　（第３条）国民は、本邦外出身者に対する不当な差別的言動の解消の必要性に対する理解を深めるとともに、本邦外出身者に対する不当な差別的言動のない社会の実現に寄与するよう努めなければならない。

(5)　部落差別の解消の推進に関する法律（2016年）

（第１条）　この法律は、現在もなお部落差別が存在するとともに、情報化の進展に伴って部落差別に関する状況の変化が生じていることを踏まえ、全ての国民に基本的人権の享有を保障する日本国憲法の理念にのっとり、部落差別は許されないものであるとの認識の下にこれを解消することが重要な課題であることに鑑み、（略）

(6)　アイヌの人々の誇りが尊重される社会を実現するための施策の推進に関する法律（2019年）

（第１条）アイヌの人々が民族としての誇りを持って生活することができ、及びその誇りが尊重される社会の実現を図り、もって全ての国民が相互に人格と個性を尊重し合いながら共生する社会の実現に資することを目的とする。

(7)　ハンセン病問題の解決の促進に関する法律（2008年）

（第１条）　この法律は、国によるハンセン病の患者に対する隔離政策に起因して生じた問題であって、ハンセン病の患者であった者等及びその家族の福祉の増進、名誉の回復等に関し現在もなお存在するものの解決の促進に関し、基本理念を定め、並びに国及び地方公共団体の責務を明らかにするとともに、ハンセン病問題の解決の促進に関し必要な事項を定めるものとする。

(8)　犯罪被害者基本法(2004年)

（前文）　近年、様々な犯罪等が跡を絶たず、それらに巻き込まれた犯罪被害者等の多くは、これまでその権利が尊重されてきたとは言い難いばかりか、十分な支援を受けられず、社会において孤立することを余儀なくされてきた。さらに、犯罪等による直接的な被害にとどまらず、その後も副次的な被害に苦しめられることも少なくなかった。もとより、犯罪等による被害について第一義的責任を負うのは、加害者である。しかしながら、犯罪等を抑止し、安全で安心して暮らせる社会の実現を図る責務を有する我々もまた、犯罪被害者等の声に耳を傾けなければならない。

法に対応した社会的課題は、日本において、どのような時代に、どのような地域で、どのような課題として起き、それは今、どのような状態にあるのか。法を手掛かりにしつつ、総合的に理解しておくことが大切である。

≪発展≫人権課題は、2000年前後に確認された新しい課題ばかりではない。戦後数十年を経て、個別の法律が制定された理由や背景を調べてみよう。

44 教育関係者に不可欠な人権感覚

教育関係者にもとめられる人権教育で育てたい資質・能力「人権感覚」

近年、法教育や消費者教育、主権者教育等、社会の変化に対応した様々な教育が推進されている。人権教育は「人権教育のための国連10年」等、国際的な動きに影響を受け制定された「人権教育・啓発推進法」や「人権教育・啓発に関する基本計画」に基づいた教育である。学校教育では、教育活動全体を通じて推進することが期待されている。では、人権教育で育てたい資質・能力とは、どのようなことだろうか。

資料１は、「人権教育の指導方法等の在り方について[第三次とりまとめ])[1]に示されている「人権教育を通じて育てたい資質・能力」である。これまでの人権教育の課題として、「知的側面」に偏りすぎていたという指摘がある。ここでは、児童生徒だけでなく、教育関係者にも求められる人権感覚について確認しよう。

【資料１】人権教育で育てたい資質・能力（「第三次とりまとめ」より）

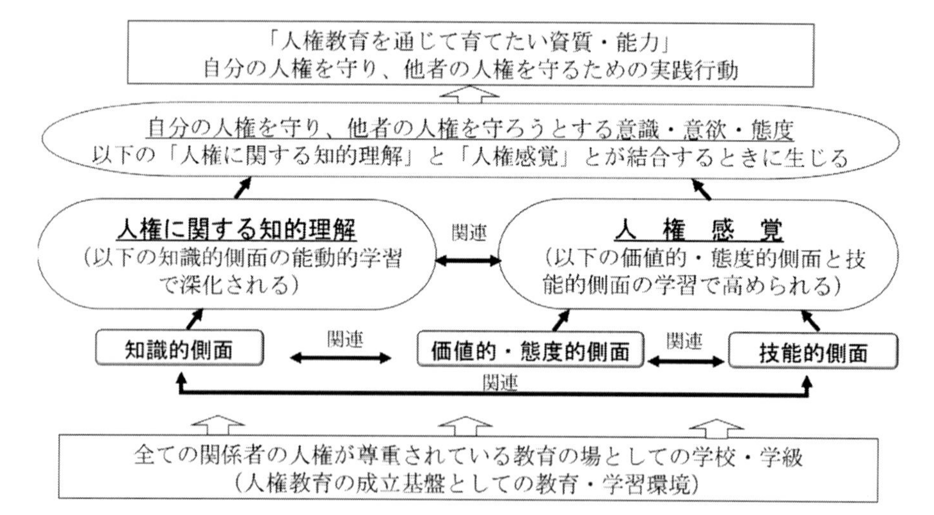

人権教育では、人権や人権擁護に関する知的理解を深化することが必要となる。また、人権が持つ価値や重要性を直感的に感受し、それを共感的に受けとめるような感性や感覚、人権感覚を育成することが併せて必要となる。さらに、こうした知的理解と人権感覚を基盤として、自分と他者との人権擁護を実践しようとする意識、意欲や態度を向上させること、そしてその意欲や態度を実際の行為に結びつける実践力や行動力を育成することが求められる。

ここでは、資質・能力について、知識的側面、価値的・態度的側面及び技能的側面の３つの側面から捉えている。この中で、価値的・態度的側面及び技能的側面（資料２）に関連するのが人権感覚である。人権感覚とは、「人権の価値やその重要性にかんがみ、人権が擁護され、実現されている状態を感知して、これを望ましいものと感じ、反対に、これが侵害されている状態を感知して、それを許せないとするような、価値志向的な感覚」である。学校では、教育関係者による暴言、行き過ぎた指導、体罰やわいせつ行為、ハラスメントなど、様々な人権侵害が問題となっている。このような人権侵害を防ぐためにも、教育関係者自身が人権感覚を身につけることが大切である。

【資料２】価値的・態度的側面、技能的側面について（「第三次とりまとめ」より）

価値的態度的側面	技能的側面
人間の尊厳、自己価値及び、他者の価値を感知する感覚、自己についての肯定的態度、自他の価値を尊重しようとする意欲や態度、多様性に対する開かれた心と、肯定的態度、正義や自由、平等の実現のために活動しようとする意欲や態度、人権侵害を受けている人々を支援しようとする意欲や態度、人権の観点から自己自身の行為に責任を負う意志や態度、社会の発達に主体的に関与しようとする意欲や態度	人間の尊厳の平等性を踏まえ、互いの相違を認め、受容できるための諸技能、他者の痛みや感情を共感的に受容できるための想像力や感受性、能動的な傾聴、適切な自己表現等を可能とするコミュニケーション技能、他の人と対等で豊かな関係を築くことのできる社会的技能、人間関係のゆがみ、ステレオタイプ、偏見、差別を見きわめる技能、対立的問題を非暴力的で双方にとってプラスとなるように解決する技能、複数の情報源から情報を収集・吟味・分析し、公平で均衡のとれた結論に到達する技能、技能合理的・分析的に思考する技能、協力的・建設的に問題解決に取り組む技能など

資料３は、人権感覚教師用チェックリスト（富山県総合教育センター）[2]の一部である。教育関係者は、常に自らの言動について、このような人権感覚の視点で振り返ることは不可欠である。

【資料３】人権感覚教師用チェックリスト（一部抜粋）

- 子どもが安心して考えを発言できる雰囲気をつくっていますか。
- 子どもの発言や意見を、まず受け止めて対応していますか。
- 間違いや失敗を嘲笑する子どもを見逃していませんか。
- できる子、できない子と先入観をもって接していませんか。

≪発展≫資料３を参考に、学校生活場面を振り返る自分なりの人権感覚チェックリストを作成してみよう。

---

[1] 文部科学省、人権教育の指導方法等に関する調査研究会議「人権教育の指導方法等の在り方について［第三次とりまとめ ］」2008年。

[2] 富山県総合教育センター「人権感覚教師用チェックリスト」　http://center.tym.ed.jp/

45 人権の国際的広がり

子どもの権利条約や女性差別撤廃条約等、人権に関する国際法との関連

21 世紀は「人権の世紀」といわれている。国連の「人権教育のための国連 10 年行動計画」において、「人権教育とは、知識と技能の伝達及び態度の形成を通じ、人権という普遍的文化を構築するために行う研修・普及及び広報努力」と定義されている。教育関係者の人権に関する知識として、「人権関連の条約や国際法の意義に関する知識」も欠かせない。国連は、世界人権宣言や国際人権規約を採択し、その後、人権を尊重する動きの高まりを背景に、子どもの権利条約や女性差別撤廃条約など様々な条約を採択してきた。学校教育にとって一見遠い存在の国際法も具体的な事例を扱うことで、私たちの生活と密接に関連があることに気づくことができる。

ポイント１「宣言から規約、条約、国内法整備へ」

資料１は、「人権に関する条約の採択年月、締約国数、日本の批准年月」である。これを見ると、主要な人権に関する条約は世界各国で締約され、人権の考えが広まっていることが分かる。世界人権宣言（1948 年）に法的拘束力をもたせたのが、国際人権規約（1966 年）である。人権の意識が高まる中、男女平等を目指す動きとして、1979 年、国連で女子差別撤廃条約が採択される。国内では 1985 年この条約を批准し、「勤労婦人福祉法」を改正した「雇用の分野における男女の均等な機会及び待遇の確保等女子労働者の福祉の増進に関する法律」(通称「男女雇用機会均等法」) が制定される。

障害者権利条約に関しては、条約の締結に先立ち、障害者基本法の改正 (2011 年)、障害者総合支援法の成立（2012 年)、障害者差別解消法の成立および障害者雇用促進法の改正（2013 年）など、様々な法制度整備が行われている。

【資料１】人権に関する条約の採択年月、締約国数、日本の批准年月[1]（2020 年 10 月現在)

◆女子に対するあらゆる形態の差別の撤廃に関する条約
1979 年 12 月採択／1981 年９月発効　署名国数 99／締約国数 189（2020 年 10 月現在)
日本 1980 年７月署名、1985 年６月批准。

◆児童の権利に関する条約
1989 年 11 月採択／1990 年９月発効　署名国・地域数 140／締約国・地域数 196
日本 1990 年９月署名、1994 年４月批准。

◆障害者の権利に関する条約（略称：障害者権利条約)
2006 年 12 月採択／2008 年５月発効　署名国・地域数 164／締結国・地域数 182
日本 2007 年９月署名／2014 年１月批准。

ポイント２「実際の内容にも触れ、多面的・多角的に考察しよう」

1994年の「児童の権利に関する条約」の批准を契機に、教育関係者には一層、児童生徒の基本的人権に十分配慮し、一人一人を大切にした教育が求められるようになった。資料２は、日本ユニセフ協会が発行している「子どもの権利条約ガイドブック」からの抜粋である。

【資料２】日本ユニセフ協会「子どもの権利条約ガイドブック」より[2]
「子どもの権利条約」ができるまで
…（前略）戦後、国連で最初に生まれた「世界人権宣言」は、国にかかわりなく世界中すべての人々がどのような人権をもつかを示した初めての宣言となりました。この宣言は法律としての効力をもたなかったので、国連や国際社会は、宣言がめざす目標を、国際的な法律である“条約”のかたちにして整えていきます。たとえば、「人種差別撤廃条約」「女子差別撤廃条約」などの条約が生まれました。そして、社会で弱い立場に立たされている子どもたちの状況も注目されるようになり、すべての子どもの権利の実現をめざし、「子どもの権利」を「条約」として定めようという動きが生まれました。
カードブックを活用してみよう！
このカードブックでは、「子どもの権利条約」の１条から40条までが、わかりやすい要約とイラストのカードになっています。各条文を知りたいときには、カードの裏面の条文の全文を参考にしてください。（中略）… １枚ずつ切り離して使えるようになっていますから、工夫してさまざまなワークショップに活用してみよう。
例　やってみよう　「守られていない権利はなんだろう？」
１　p. 27～28の「世界の子どもたち」のお話を読もう。 ２　それぞれの子どもについて、守られていないと思う権利があればカードから選び出してみよう。 ３　どうしてその権利が守られていないと思ったのか、話し合ってみよう。 ４　どうしたらその権利が守られるようになるのか、話し合ってみよう。

「カードブックを活用してみよう！」では、「似たものあわせ」「守られていない権利はなんだろう？」「子どもの権利がない世界」の３つのワークショップが紹介されている。教育関係者がこのワークショップを体験することで、「生きる・育つ権利」「意見を表す権利」「休み、遊ぶ権利」「健康・医療への権利」「社会保障を受ける権利」「あらゆる搾取からの保護」など、子どもの権利条約の内容を具体的に学ぶことができる。

≪発展≫日本政府が「子どもの権利条約」を批准してから、様々な地方公共団体で、「子どもの権利」を守る動きが出ている。テーマ27「子どもの権利に関する条例」を参考に、自治体の動きについて調べてみよう。

---

[1] 外務省ＨＰ「人権外交　締約国一覧」　https://www.mofa.go.jp/mofaj/gaiko/jinken/ichiran.html
[2] （公財）日本ユニセフ協会「子どもの権利条約ガイドブック」2018年。https://www.unicef.or.jp

46 行政研修と自主研修

教員になるとどのような研修があるのだろうか。

教員の研修については、教育基本法と教育公務員特例法に規定されている。どのような研修が規定されているだろうか。

【資料１】教育基本法
第９条　法律に定める学校の教員は、自己の崇高な使命を深く自覚し、絶えず研究と修養に励み、その職務の遂行に努めなければならない。 ２　前項の教員については、その使命と職責の重要性にかんがみ、その身分は尊重され、待遇の適性が期せられるとともに、養成と研修の充実が図られなければならない。
【資料２】教育公務員特例法　　注）必要な部分を抜き出している。
第21条　教育公務員は、その職責を遂行するために、絶えず研究と修養に努めなければならない。 第22条　教育公務員には、研修を受ける機会が与えられなければならない。 ２　教員は授業に支障がない限り、本属長の承認を受けて、勤務場所を離れて研修を行うことができる。 ３　教育公務員は、任命権者の定めるところにより、現職のままで、長期にわたる研修を受けることができる。 第23条　公立の小学校等の教諭等の任命権者は、当該教諭等に対して、その採用の日から１年間の教諭又は保育教諭の職務の遂行に必要な事項に関する実践的な研修（初任者研修）を実施しなければならない。 第24条　公立の小学校等の教諭等の任命権者は、当該教諭等に対して、ここの能力、適性等に応じて、公立の小学校等における教育に関し相当の経験を有し、その教育活動その他の学校運営の円滑かつ効果的な実施において中核的な役割を果たすことが期待される中堅教諭等としての職務を遂行する上で必要とされる資質の向上を図るために必要な事項に関する研修を実施しなければならない。

教育基本法では国公私立すべての学校教員の研修努力義務化が示されており、研修の重要性が示されている。また、教育公務員特例法の第21条からわかるように、教育公務員には研修についてひとりひとりの主体的な取り組みが努力義務となっている。

第22条では、研修について自主的な研修の意義が示され、項では、大学院での就学休業制度が想定されている。

第23条では「初任者研修」、第24条では「中堅教諭等資質向上研修」が制度化されている。文科省は行政研修を資料３のように示している。

教員研修は、その勤務との関係に注目すると次の３つに分類される。

①　職務として行われる研修。(職務命令研修。初任者研修や中堅教諭等資質向上研

【資料3】　教員研修の実施体系（文科省ＨＰ掲載の「教員研修の実施体系」を筆者が簡略化した）

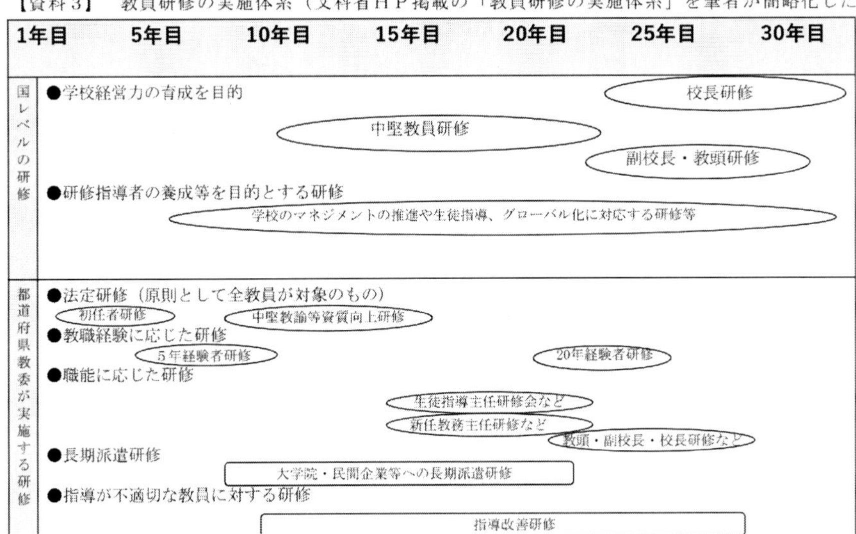

修もこれに含まれる。いわゆる行政研修。）

②職務専念義務免除研修（職務に直接・間接に資するものとして校長が判断し、行われるもの。勤務時間内に行われ、教科や教育実践に関する研究団体等の授業研究会や大会などへの参加がこれに含まれる。）

③自主的研修（教員個々の研修ニーズに基づいた自主的な研修で、勤務時間外を利用して行われるものや勤務時間内でも手続き上休暇をとって行われるべきもの。民間教育団体による研究や実践などへの参加がこれに含まれる。）

教員研修において最も重要なことは、教員の研修への自主的な取り組みである。行政研修だけでなく自主的研修への取り組みは重要となる。たとえば、「民間教育団体」として、次のような団体が社会科関係として活動している。

・全国民主主義教育研究会（全民研）・歴史教育者協議会（歴教協）
・地理教育研究会（地教研）・教育科学研究会（教科研）

≪発展≫上記の民間教育団体の取り組みをＨＰなどで調べてみよう。

≪参考文献≫若井・坂田・梅野編『2021 年度版必携教職六法』協同出版、2020 年。

47 働き方改革

公立学校における教職員の働き方改革について考えよう。

近年、学校を取り巻く環境は大きく変化し、様々な新しい教育課題への対応等により、教職員の業務は一層複雑・多様化している。このような中、メディア等で深刻な教職員の長時間労働の実態が報道されるなど、労働環境の改善、働き方改革が学校教育にとって喫緊の課題となっている。

「働き方改革」は、学校だけでなく、一般企業にも求められており、現在、国主導で推進されている。2018年、労働基準法や労働安全衛生法など関連する８本の労働法の改正を行うための法律、「働き方改革を推進するための関係法律の整備に関する法律」（通称「働き方改革関連法」）が成立した。しかしながら、学校には、「公立の義務教育諸学校等の教育職員の給与等に関する特別措置法」（通称「給特法」）があり独自の業務改善が求められている。

資料１は、「公立学校における働き方改革の推進（全体イメージ）」[1]から抜粋したものである。ここでは、教員の長時間労働の実態は、一層深刻さを増している現状が読み取れる。

【資料１】公立学校における働き方改革の推進
【学校における働き方改革の目的】
教師が我が国の学校教育の蓄積と向かい合って自らの授業を磨くとともに日々の生活の質や教職人生を豊かにすることで、自らの人間性や創造性を高め、子供たちに対して効果的な教育活動を行うことができるようになること
【教師の勤務の長時間化の現状と要因】
教員勤務実態調査（平成28年度）の結果等から、長時間勤務の要因を分析〔前回平成18年度調査〕 小学校：57時間29分〔53時間16分〕 中学校：63時間20分〔58時間06分〕 ※平成18年度調査に比べて学内勤務時間が増加した理由 ①若手教師の増加、②総授業時数の増加（小学校：1.3コマ増、中学校：１コマ増）、③中学校における部活動時間の増加（平日７分、土日１時間３分）
【学校における働き方改革の実現に向け、着実に施策を展開】
・上限ガイドライン （月45時間、年360時間等） ・学校、教師の業務の適正化 ・休日の「まとめ取り」の推進 ・学校における条件整備 ・改革サイクルの確立 ・中央教育審議会における更なる検討

そこで、2019年、教職員の働き方改革の実現に向け、「給特法」の一部を改正する法律が成立した。そこには、２つのポイントがある。一つは、業務量の適切な管理等

に関する指針を定めたことである。教員にも業務を行う時間の上限「原則として月 45 時間・年 360 時間」を適用している。もう一つは、一年単位の変形労働時間制の適用である。「かつて行われていた夏休み中の休日のまとめ取りのように集中して休日を確保すること等が可能となるよう地方公共団体の判断により、一年単位の変形労働時間制の適用を可能」にしている。

しかしながら、いくら業務を行う時間の上限を定めても、業務内容が改善されない限り、教職員の長時間労働はなかなか改善されないであろう。資料２は、「全国の各教育委員会が『在校等時間等の縮減効果が大きいと考える取組』と選んだ上位 10 の取組」である[2]。

【資料２】令和元年度 教育委員会における 学校の働き方改革のための取組状況調査より
【効果が大きいと考えられる取組ベスト 10】
1. 部活動ガイドラインの実効性の担保 2. 学校閉庁日の設定 3. ＩＣＴを活用（校務支援システム等の活用等）した事務作業の負担軽減 4. 留守番電話の設置やメールによる連絡対応の体制整備 5. 部活動への外部人材の参画 6. スクールカウンセラー、スクールソーシャルワーカー、特別支援教育等の専門人材、日本語指導ができる支援員等の専門的な人材等の参画 7. 保護者や地域・社会に対する働き方改革への理解や協力を求める取組 8. 行事等の精選や内容の見直し、準備の簡素化等 9. 学校に向けた調査・統計業務の削減 10. サポート・スタッフをはじめとした授業準備等への外部人材の参画

例えば、「4. 留守番電話の設置やメールによる連絡対応の体制整備」では、勤務時間外の電話応対については、「【平日の朝】 7:45～、【平日の夕方】 小学校：18:00 まで 中学校・高等学校：19:00 まで」の取組が紹介されている。「8. 行事等の精選や内容の見直し、準備の簡素化等」では、家庭訪問の在り方再考、運動会、体育祭の内容の見直し、宿泊行事の見直し、「やめられるかも」リストの作成などが紹介されている。この他に、いろいろな取組が紹介されているが、実際に可能性であるのか、取り組む際のメリットやデメリットなどについて考えてみよう。

≪発展≫資料２の【効果が大きいと考えられる取組ベスト 10】をもとに、具体的にどのような取組方法があるのか、互いに様々なアイデアを出して協議してみよう。

---

[1] 文部科学省「公立学校における働き方改革の推進（全体イメージ）」2019 年。

[2] 文部科学省「令和元年度 教育委員会における 学校の働き方改革のための取組状況調査【結果概要】」2019 年。 https://www.mext.go.jp/a_menu/shotou/uneishien/1297093.htm

48 給与制度

公立の義務教育諸学校の教職員に関する「給特法」と「人材確保法」とは

東京都教育委員会のホームページ教員採用案内の「数字で見る東京都公立学校－給与・福利厚生」欄を見ると、資料１のような初任給の情報を掲載している[1]。このなかで、教職員の給与は、給料月額に加え、諸手当として「教職調整額」や「義務教育等教員特別手当」等があることを明示している。

そこで、ここでは、教職員の労働問題や働き方改革につながる、２つの諸手当と関連する「給特法」や「人材確保法」について理解しよう（資料２）。

【資料１】東京都教育委員会が示す初任給の情報

初任給

1．初任給は、給料月額、教職調整額、地域手当、義務教育等教員特別手当及び給料の調整額（該当者のみ）を合わせた金額です。

新卒者が都内（島しょ地域を除く。）の学校に採用された場合の例（平成30年４月１日現在）

区分	大学卒	短大卒
小・中・高等学校	約247,500円	約226,100円
特別支援学校	約260,400円	約238,000円

2．各種手当：扶養手当、住居手当、通勤手当、期末・勤勉手当等が、条例に基づき支給されます。

3．特別支援学級、へき地（島しょ等）の学校に勤務する者等には、条例に基づき別途手当等が支給されます。

「教職調整額」は、「公立の義務教育諸学校等の教育職員の給与等に関する特別措置法」（通称「給特法」）に関連する手当である。教員は、自発性、創造性に基づく勤務に期待する面が大きいことなどを考慮すると、一般行政職と同様な時間的管理を行うことが難しい。そこで、1971年、「給特法」として、休日勤務手当や時間外勤務手当などを支給しない代わりに給料月額の４パーセントを教職調整額として支払うことが定められた。

また、給特法と関連して、「公立の義務教育諸学校等の教育職員を正規の勤務時間を超えて勤務させる場合等の基準を定める政令」では、校長が教員に時間外勤務を命じることができる４項目（校外実習その他生徒の実習に関する業務、修学旅行その他の学校行事に関する業務、職員会議に関する業務、非常災害の場合、児童又は生徒の指導に関し緊急の措置を必要とする場合その他やむを得ない場合に必要な業務）が示されている。

なお、この給特法に関しては、教職員の業務内容の複雑化や増加に伴い長時間労働化していることから、制定された当時と比べ、学校現場の実態と合わなくなったと指摘もある。

【資料2】公立の義務教育諸学校等の教育職員の給与等に関する特別措置法（給特法）の一部抜粋
第1条 この法律は、公立の義務教育諸学校等の教育職員の職務と勤務態様の特殊性に基づき、その給与その他の勤務条件について特例を定めるものとする。 第3条（教育職員の教職調整額の支給等） 教育職員（校長、副校長及び教頭を除く。）には、その者の給料月額の百分の四に相当する額を基準として、条例で定めるところにより、教職調整額を支給しなければならない。 教育職員については、時間外勤務手当及び休日勤務手当は、支給しない。 第6条 教育職員を正規の勤務時間を超えて勤務させる場合は、政令で定める基準に従い条例で定める場合に限るものとする。（後略）
【資料3】学校教育の水準の維持向上のための義務教育諸学校の教育職員の人材確保に関する特別措置法（人材確保法）の一部抜粋
（目的）第1条 この法律は、学校教育が次代をになう青少年の人間形成の基本をなすものであることにかんがみ、義務教育諸学校の教育職員の給与について特別の措置を定めることにより、すぐれた人材を確保し、もつて学校教育の水準の維持向上に資することを目的とする。 （優遇措置）第3条 義務教育諸学校の教育職員の給与については、一般の公務員の給与水準に比較して必要な優遇措置が講じられなければならない。

義務教育等教員特別手当は、「学校教育の水準の維持向上のための義務教育諸学校の教育職員の人材確保に関する特別措置法」（通称「人材確保法」）に関連する手当である。その目的は、「優れた人材を確保し、学校教育の水準の維持向上に資するため」（第1条）であり、「教員の給与を一般の公務員より優遇する措置が講じられなければならない」とした（第3条）。この法律に基づいて教員の給与の改善が実施されてきたが、現在、優遇措置は次第に低下している[2]。

この他にも教職員には、期末・勤勉手当や通勤手当、住居手当など各種手当が条件に基づき支給される。

≪発展≫教職員の働き方改革について、給特法の改正や廃止論と休日勤務手当や時間外勤務手当との関連で議論してみよう。

---

[1] 東京都教育委員会ＨＰ　https://www.kyoiku.metro.tokyo.lg.jp

[2] 文部科学省ホームペー人材確保法について　https://www.mext.go.jp

49 労働者の権利

学生のアルバイトのトラブルから労働者の権利について考えよう。

学生にとって、「労働者の権利」について考える機会があるだろうか。現在、学生や高校生などのアルバイトをめぐるトラブルが社会問題となっている。雇用者が、一方的に急なシフト変更を命じたり、「人手が足りない」といった理由で学生を休ませなかったりするなど、様々な問題が明らかになっている。その理由として、初めての就業経験となることが多い学生の弱い立場、「労働者の権利」や働くときのルールに関する理解不足などがあげられる。

厚生労働省のポータルサイト「確かめよう労働条件」では、「アルバイトを始める前に知っておきたいポイント」やリーフレット「学生アルバイトのトラブルQ＆A」などを掲載し、啓発活動を行っている[1]。

ここでは、それらを参考にした資料「アルバイト上のトラブルと労働に関する法」から労働者を守る権利や具体的な労働に関する法について考えてみよう。

【資料】アルバイト上のトラブルと労働に関する法
トラブルの場面
大学生の太郎さんは、初めてのアルバイトで、飲食店で働くことになりました。最初は、はりきって働こう思っていましたが、「あれ」と思うことがいくつか出てきました。
【場面１】 早起きが苦手な太郎さんは、午前10時から午後５時30分まで働くことになりました。店長に「昼どきが忙しいので、あなたは、朝がゆっくりの分、休憩はほかの人より少し短い30分でお願いします。」と言われました。 店長に言われたとおり、30分の休憩にしなければならないのでしょうか。
【場面２】 太郎さんは、学業を大事にしていたので、大学の授業のない曜日にアルバイトのシフトを決めていました。しばらくは、そのシフトで働いていましたが、忙しい時期になり、店長が勝手に授業のある曜日にシフトを入れていました。「授業があるので無理です。」と伝えると、もう今月のシフトを組んだので、動かせない。」と言われました。 店長に言われたとおり、その日働くしかないのでしょうか。
【場面３】 その後、約半年間働きましたが、学業が忙しくなり、「あと１か月でアルバイトを辞めたい。」と店長に伝えました。すると、「突然辞めるのは困るし迷惑だ。代わりの人が見つかるまで辞めることはできない。」と言われました。 確かに代わりがいないとお店は困ります。店長に言われたとおり、次の人が見つかるまで辞めることはできないのでしょうか。

もととなる法律と解説
【場面１－労働基準法】第34条 「使用者は、労働時間が６時間を超える場合においては少なくとも45分、８時間を超える場合においては少なくとも１時間の休憩時間を労働時間の途中に与えなければならない。」 　これは、アルバイトに対しても適応されます。太郎さんは午前中10時から午後５時30分まで働いていますが、休憩の45分を差し引いても６時間を超えています。だから、雇用者は、少なくとも45分間の休憩を与えなければならないのです。
【場面２－労働契約法８条及び９条】 ８条「労働者及び使用者は、その合意により、労働契約の内容である労働条件を変更することができる。」９条「使用者は、労働者と合意することなく、就業規則を変更することにより、労働者の不利益に労働契約の内容である労働条件を変更することはできない。ただし、次条の場合は、この限りでない。」 　シフトを変更するには、基本的には労働者と雇用者の合意が必要です。知らない間にシフトに入れられた、逆に自分がシフトを替えたいときは、雇用者とよく相談し話し合いましょう。
【場面３－民法627条の１項】 「当事者が雇用の期間を定めなかったときは、各当事者は、いつでも解約の申し入れをすることができる。この場合において、雇用は、解約の申し入れの日から２週間を経過することによって終了する。」 　アルバイトを含む労働者は、原則として会社を退職することをいつでも申し入れることができます。民法では、労働者は退職の申入れをすれば、２週間経てば辞めることができます。ただし、急にやめるとアルバイト先が困るので、アルバイト先と話し合いましょう。
【その他参考になること－労働基準法第15条】 「使用者は、労働契約の締結に際し、労働者に対して賃金、労働時間その他の労働条件を明示しなければならない。」「明示された労働条件が事実と相違する場合においては、労働者は、即時に労働契約を解除することができる。」 ・後でトラブルとならないように、働く条件について書面で契約をしましょう。 ・労働基準法第24条では賃金の支払いについて定めています。通貨払い・全額払い・直接払い・毎月１回以上払い・一定期日払いの５種類があります。

　ここに示されたものは、労働者の「休む権利」「仕事を辞める権利」「労働の対価をもらう権利」等の権利である。ここでは、その権利を保障するために、具体的にどのような法律があるのかを学ぶことができる。ただし、労働者は、使用者との間で労働契約を結んで働き、その分の賃金を使用者から受け取る。様々な権利によって守られているが、労働者は労務を提供する義務などを負っていることも忘れてはならない。

≪発展≫実際に働く中で、労働者の権利をなかなか主張できない雰囲気がある場合どうしたらよいのか、いろいろな解決策を話し合ってみよう。

---

[1] 厚生労働省ＨＰ「確かめよう労働条件」「学生アルバイトのトラブルＱ＆Ａ」2016 年。https://www.check-roudou.mhlw.go.jp/top.html

50 学校の責任を問う裁判

学校が生徒や保護者に訴えられる根拠となる国家賠償法とは

いじめや暴力による事故、休み時間・授業中の事故など学校事故に関する民事訴訟裁判では、被害者は加害者側や学校を訴え、法的責任を追及している。学校は、どのような法的根拠で訴えられ、また、その際にどのような法的責任を負うのだろうか。ここでは、民法の特別法といわれる国家賠償法について考えてみよう。

国家賠償法	1条1項　国又は公共団体の公権力の行使に当る公務員が、その職務を行うについて、故意又は過失によつて違法に他人に損害を加えたときは、国又は公共団体が、これを賠償する責めに任ずる。 2　前項の場合において、公務員に故意又は重大な過失があつたときは、国又は公共団体は、その公務員に対して求償権を有する。 第2条　道路、河川その他の公の営造物の設置又は管理に瑕疵があつたために他人に損害を生じたときは、国又は公共団体は、これを賠償する責に任ずる。

国公立学校での事故の場合、公務員である教職員が職務上、一定の不法行為によって児童生徒に傷害等を負わせた場合には、所属する学校の設置・運営の主体である国や公共団体が、損害賠償責任を負うことになる。ただし、教職員に故意・重過失があったときは、国や地方公共団体は、教職員個人に求償権を行使できる。第2条については、例えば、校舎の老朽化が進んでいたため柵が壊れ、転落して傷害を負った場合である。学校の施設や設備などの営造物に問題があったため、児童生徒に損害が発生した場合、国や公共団体が損害を賠償する責任を負う。

学校事故は、教職員が体罰を加えたり、不適切な指導をしたりする事案もあるが、その多くが安全注意義務違反で責任を問われる。そして、過失責任主義をとっており、落ち度があった場合に責任を取らせるしくみになっている。具体的には、事前の指導や監督義務を怠っていたなど不作為責任として構成される。以下、教職員の責任が認められた事例を紹介する。

【資料】安全注意義務で学校の責任が認められた事例「むかで競走の練習で」[1]
【事件の概要】 市立X中学校では、体育祭のクラス対抗競技の一つとして、むかで競争を取り入れていた。 むかで競争は、学級の男子生徒、女子生徒で各1組（約20人）になり、リレーする方式である。最初に男子組が約40～50mの距離を折り返し点に向かって走り、そこを回って出発点に戻ったところで、女子組にバトンタッチする。そして、また、スタートして折り返し点までを往復してゴール

となり、その速さで勝敗を決める競技である。

X中学校では、体育祭の種目の中で得点の高い競技であったため、各学級とも体育祭前から早朝、放課後に練習をしていた。１年生の時も経験している２年A組（38人）が、早朝練習を始めた２日目のことである。目標タイムを設定しての練習をしていた際に、一人の生徒がバランスを崩して転倒した。すると、その後ろの生徒も倒れ、その後ろの生徒達が次々と覆い被さるように転倒していった。そして、生徒Bが大けがを負った。

【裁判所の判断】

- 本件のような20人近くの集団で走る速さを競うむかで競争は、足が揃わず転倒するおそれがあり、転倒に至れば、生徒に他生徒が将棋倒しのように倒れかかるなどして、負傷する危険が容易に予測でき、むかで競争競技の実施自体に危険が伴うものである。
- その危険性にかんがみると、むかで競争の練習の指導の際は、なによりも競技の危険性に配慮して、勝敗よりも安全確保に留意し、歩行から駆け足へと段階的に十二分に練習を積んだ後に、競技形式と同様の練習に移行すべきであり、目標タイムを設定する競技形式と同様の練習は、生徒が競技に十分習熟した練習日程の最終段階に行うべき義務がある。
- 担任教諭は、クラスの生徒に対し、足踏み、歩行、駆け足の順に実技練習させているが、安全に関しては、ふざけてしないこと、かけ声を出して足を揃えること、体を密着することの注意をした程度で、負傷をしないように速度を抑えることや、当初はゆっくり走らせる工夫や注意をすることなく、練習初期の段階から目標タイムを設定し、実際の競技と同様になるべく速く走らせる方法によって練習を実施指導していたものであり、担任教諭には、むかで競争の危険性を配慮した練習方法をとるべき注意義務を尽くさなかった過失がある。

ここでは、「競技の危険性を配慮して、安全確保に留意し、段階的に十二分に練習を積んだあとに、競技形式と同様の練習に移行すべきである」「担任教諭には、むかで競争の危険性を配慮した練習方法をとるべき注意義務を尽くさなかった過失がある」と判示しているように、安全性が保障された計画的な練習を実施することを求めている。

このように、様々な裁判例で判示された安全注意義務の内容を整理すると、以下の３つの段階に整理できる。まず、安全性が確保された授業計画を立てるなど「事前段階での注意義務」である。また、熱中症事故訴訟[2]で「部活動顧問は、部員が熱中症に罹患しないように防止すべき注意義務を負い、また、熱中症に罹患した場合には、応急処置を行う、救急車を要請するなど適切な措置をとるべき義務を負う」と判示しているように「指導監督上の注意義務」や「事故が発生した段階での措置義務」である。

今後、過去の様々な事例から、それぞれの段階での注意義務の具体的な内容を理解し、事故の未然防止に努めることが大切であると考える。

≪発展≫学校事故の裁判事例を調べ、３つの段階での具体的な注意義務について確認しよう。そして、事故防止策について検討しよう。

---

[1] 神戸地方裁判所平成12年３月１日判決をもとに筆者が学生向けに開発した判決書教材の一部。

[2] 名古屋地方裁判所一宮支部平成19年９月26日判決。

51 生徒が被告となる裁判

生徒が被告となる民事裁判、生徒にはどのような責任が生じるのか。

裁判は、民事裁判と刑事裁判に大別される。民事裁判は、個人間や家族間、会社と個人など、私人間の紛争を解決するための手続である。教育関係者としては、少年犯罪と少年法との関連の知識も大切であるが、「生徒が被告となる」民事裁判の法的根拠を知る必要があるだろう。また、生徒にも「生徒自身が被告となる」身近な裁判事例を紹介して、民事上の責任についても理解を深めさせたい。実際にいじめや暴力、自転車事故など生徒の加害行為で被告となる民事訴訟裁判は増加傾向にある。民法709条「故意又は過失によって他人の権利又は法律上保護される利益を侵害した者は、これによって生じた損害を賠償する責任を負う」を根拠とした訴えである。

ここでは、資料「判決書教材ー自転車事故の責任」[1]を例に、生徒自身に求められる法的責任について考える機会としたい。

【資料】「判決書教材ー自転車事故の責任」の一部

【事案の概要】

被害者C（85歳）が、中学３年生A（15歳）の運転する自転車に衝突されて傷害を負ったとして、その損害賠償を請求した事案である。

ある日、Cは、人混みのある歩道の車道側に立っていた。Aは、中学校３年生の15歳。用事があり、姉の自転車に乗って、その歩道を通っていた。姉は、Aより身長が高く、Aがその自転車に乗ると、両足が地面に着かない状態であった。歩道は、幅２メートルで、自転車の通行は禁止されていた。

ちょうどそのころ、Aの運転する自転車が、ある女性の後ろに近づいてきた。Aは、「すみません、のいてください。」と声をかけた。そして、女性は、車道側によけたので、Aは、かけ足程度のスピードで、横を通り過ぎた。すると、その人ごみの中を通り過ぎたとたん、バランスをくずし、Cが立っている近くでよろけた感じになり、右ハンドルが当たって、Cは転んで大けがをした。その結果、Cは、大腿の骨を折るような大きな傷害を負った。そして、その状態は重く、手術をし、約100日間入院した。

※ 原告は、加害者である中学３年生のA及び未成年者であるためAの親権者を訴えた。ここでは、中学３年生Aのみの判示について記載する。

【それぞれの主張】

［原告（被害者側）の主張］

- 被告Aは自転車を運転して歩道を走行するに際し、前方の通行人の有無、状況を十分に確認しなかった過失によって事故を発生させたもので、民法709条の責任がある。

［被告（加害者A）の主張］

- Aは、Cとすれ違う手前で自転車を止めており、自転車はCと衝突していない。Cが転倒したのは、Cがよろけて自転車にぶつかってきたためである。

【争点に対する判断】

- 女性の横を通りすぎた自転車は、スピードが落ち、Cの立っている付近でよろけた感じになり、自転車の右ハンドルがCに当たって、Cは転倒しその結果、傷害を負った。
- 認定事実によると、Aは、比較的人通りがあり、自転車ですり抜けることができない状態にある歩道上を、自転車に乗車して通行しようとし、前方の人を避けようとするなどして、よろけた感じになって自転車の右ハンドルをCに打ち当てて、Cを転倒させたと認めるのが相当である。

［被告らの責任］

- 認定事実によると、Aは、自転車を運転するに際し、前方の注視を怠って、自転車の右ハンドルをCに打ち当てた結果、Cを歩道上に転倒させて、傷害を負わせたのであるから、民法709条により、その損害を賠償する義務がある。

自転車事故を起こし、相手に傷害などの被害を与えた場合、刑事事件になることがある。刑事裁判は、過失致死傷罪か重過失致死傷罪等を根拠に、検察官が被疑者を起訴し、裁判所が判決を下す裁判である。しかしながら、犯罪者が未成年の場合、刑事裁判になる場合はまれである。

民事裁判では、裁判を起こした「原告」、起こされた「被告」双方の主張を聞いた上で、裁判所が判決を下す裁判である。自転車事故の民事裁判として本事例では、「Aは、自転車を運転するに際し、前方の注視を怠って、自転車の右ハンドルをCに打ち当てた結果、Cを歩道上に転倒させて、傷害を負わせたのであるから、民法709条により、その損害を賠償する義務がある」と判示している。民法712条では、未成年者は、他人に損害を加えた場合、「自己の行為の責任を弁識するに足りる知能」、いわゆる責任能力を備えていなかったときは、損害賠償責任を負わないと定めている。しかし、この事例を通して、未成年であっても責任能力を備えていたとして、児童生徒に法的責任を求める場合があることがわかる。

なお、民法714条では、「責任無能力者がその責任を負わない場合」、すなわち、未成年者に責任能力が認められず責任を負わない場合、「監督する法定の義務を負う者は、責任無能力者が第三者に加えた損害を賠償する責任を負う」と定めている。

この他にも、いじめや暴力など他人の権利を侵害する行為で、生徒自身が被告となる裁判の事例が散見する。加害行為防止につなげるためにも、様々な事例を通して、他人の権利や利益を尊重する義務や責任、そしてその大切さについて、生徒への学びの機会を設けることも大切であろう。

≪発展≫テーマ29「いじめ問題の学習」、テーマ30「ＳＮＳによるいじめ」とあわせて、児童生徒の法的責任について箇条書きで整理してみよう。

---

1 東京地方裁判所平成7年12月19日判決をもとに筆者が児童生徒向けに開発した判決書教材の一部。

52 アカデミック・ハラスメント

ハラスメントは深刻な人権侵害であるとともに不法行為である。

ハラスメントを冠した用語では、セクシュアル・ハラスメント、パワー・ハラスメント、アカデミック・ハラスメント、キャンパス・ハラスメント、マタニティ・ハラスメント、モラル・ハラスメントなどの語が使われている。

セクシュアル・ハラスメント、パワー・ハラスメント、マタニティ・ハラスメント等については、男女雇用機会均等法（2016年改正）、労働施策総合推進法（2020年改正）などにより取り組みの強化が進められている。

アカデミック・ハラスメントは、名称に対応した個別の法令が制定されているわけではないが、ほぼすべての大学等において、教職員の懲戒規定の例示にあげられており、学生間においても、明確な禁止行為、不法行為と位置づけられている。

資料は、A大学[1]とB大学[2]が公開するハラスメント関係パンフレットの記載内容から、大学生や大学院生に関係の深いアカデミック・ハラスメントの記載を取り出し、共通する項目のみ具体的事例をあげたものである。

【資料1】アカデミック・ハラスメント　A大学	B大学
大学の構成員が教育・研究上の優位性を背景に、他の構成員に対して教育、研究又は修学上の不利益や損害を与える言動のことで、人権の侵害といえます。	教員と学生・院生の間、また教員の間でも、指導的な意味で用いた言葉や行為が、場合によっては相手に強い脅威を与えることがあります。
1.研究の妨害（学生や教員に対して）	
1）論文提出時の逸脱した条件の要求 ・卒論や修論、博士の提出条件を十分に満たしているにもかかわらず、提出を許さない。 ・研究成果を要求する際、行き過ぎたプレッシャーをかける。	・常識的に不可能な課題を出され、結果的に指導を受けられなくなりました。 ・先生から理不尽な研究テーマを強要されました。
2）研究チームからの不当な排除 3）研究活動の不当な制限 4）指導の拒否及び放置 5）業績搾取	
2.修学や進路の妨害〈学生に対して〉	
1）修学の権利の侵害 ・授業中に人格を貶める言動や、教員の学説等に従うことを強要する言動を行う。 ・教育上の指導を求められても、それを正当な理由なく拒否する。	・多数の面前で罵倒されたり、プライバシーを暴露されることがあります。 ・先生の判断で指導を受けることができなくなって、修学に支障をきたしそうになりました。

2）進路（進学・卒業・就職）の妨害 ・個人的な感情から、奨学金や学術振興会特別研究員などの申請に必要な推薦書を書かない。 ・学生の進学・就職選択に対して、教員の不当な介入や影響力を示唆するなど、学生の進路の意思決定に対しておびやかし発言をする。 ・卒業認定や論文審査について、自分の権限の範囲を逸脱した発言を行う。	・正当な理由がないのに、進級・卒業・修了を認めてもらえませんでした。 ・合理的な理由がないのに、就職や進学に必要な推薦書を書いてもらえませんでした。
3．研究室における強制	
・研究室に早朝から深夜までいることや、泊りでの実験を強制する。 ・研究室内の雑用をある特定の個人に集中してやらせる。 ・本来研究費から支出されるべき支払いを、学生個人に負担するよう強要する。	・人格を傷つけるような口ぶりや、暴力的な素振りをされています。 ・教育・研究に関係の無い用務を強いられたり、休日や授業時間外に、研究や授業等の手伝いを強要されています。

「ハラスメント」「懲戒」の語で検索すると、各大学で起きたハラスメント事件と、加害行為を行ったものに対する処分事例（公表は懲戒以上とする法人が多い）を確認することができる。

また、処分事由の多くは「信用失墜行為」とされている。とりわけ、公民的資質、人権と人権尊重の精神を学ぶ場である教育機関では、国公私立等を問わず、ハラスメント行為が、人の生存と人格に対して致命的な損害を加え、教育研究環境の根底を破壊する行為として位置づけられている。

≪発展≫ハラスメント関係の裁判事例を検索し、どのような行為が不法行為と判断されているのかを整理し、意見交換をしてみよう。

なお、初期の判例として、ハラスメント行為を明確に不法行為として認定した福岡地裁平成４年４月16日判決（出版社セクハラ事件）、大学におけるアカデミック・ハラスメント及びセクシュアル・ハラスメントを認定した判決として仙台高裁平成12年７月７日判決（大学院生に対するセクハラ事件）などがある。

≪参考文献≫梅野正信「裁判の中の〝性と生〟事例ファイル16」『季刊セクシュアリティ』第46号、エイデル研究所、2010年４月。

梅野正信「裁判の中の〝性と生〟事例ファイル10」同誌第38号、2008年10月。

---

[1] 筑波大学ＨＰ（2021年１月15日閲覧）。

[2] 上越教育大学ＨＰ（2021年１月15日閲覧）。

53 インターネットによる人権侵害

ブログ記事に関する民事訴訟裁判の事例からインターネットによる人権侵害について考えよう。

インターネットには、掲示板やＳＮＳなどコミュニケーションの輪を広げる便利な機能があり、その利用が進む一方で、他人の人権を侵害してしまう事件が多発している。具体的には、他人への誹謗中傷や無責任なうわさ、差別的な書き込み、個人情報の無断掲示、他人に知られたくない私生活上の事実や、写真・動画等の掲載によるプライバシーの侵害など様々な行為である。

ここでは、教育関係者にとって認識すべき人権課題として、インターネットによる人権侵害の事例（資料１、資料２）[1]を通して、人権の保障について考えてみよう。

まず、資料１は、「実名を挙げ、事の経緯を説明するＹのブログ記事」である。このブログ記事を読んで、人権上何が問題なのか指摘してみよう。

【資料１】実名を挙げ、経緯を説明するＹのブログ記事

ゆっくりと流れるままに「熱く長い戦い」

（写真 省略）

実は私、分譲マンションに住んでいまして、数年前までこのマンションの会長をしていました。

ことの発端は４年前、私の会長時代、このマンションの隣の空き地になんの事前報告もなしに突如、産業廃棄物（建設残土）の臨時保管所が設営されたのです。①

何台ものダンプカーをつかって土砂が搬入され、大きな建設重機を使っての土砂の整理。そしてまた何台ものダンプカーを使ってその土砂を搬出。来る日も来る日もその繰り返し。作業中は舞い散る粉じんによって窓は開けられない、そのけたたましい重機の騒音によってテレビの音も聞き取れない、粉じんで汚れる窓やバルコニー、隣接するマンション駐車場の車は砂だらけ。②

会社に苦情を伝え、改善対策をお願いするも誠意ある対応は一切なし。③

こうして、このＡ（実名）建設会社と私の戦いは始まりました。

幾度となくＸ（実名）県環境保全課に苦情を申立てて行政指導を求め、Ｚ（実名）市環境課に騒音測定を依頼し、マンション管理組合内にＡ（実名）建設会社対策委員会を設け、司法手段に訴える準備のため弁護士とも相談、証拠固めのため、日々の写真撮影、問題が発生するたびＡ（実名）建設会社に苦情の電話、出口の見えない苦悩の日々はつづく…

そして、待ちにまった、Ａ（実名）建設会社最期の日。

（写真省略）

写真はＡ（実名）の撤退風景。この翌日、土砂も重機も仮事務所もすべて撤去された。こちらが司法手段に出る前に自主撤退していきました。Ａ（実名）建設会社の社長が自主撤退を決断した本当の理由は定かではありませんが…。なにはともあれ４年ぶりに平穏な環境が戻ってきました。

※　表現①②③は、Ｙの思い込みや感じたこと綴っている。

Y（自身は匿名）は、「このブログには、公害問題の被害経験者として、不特定多数の閲覧者のうち、公害・環境問題の被害者となった者の利益を図るという公益目的で記事を掲載した」と主張している。このようにYの正義感で公益目的とした記事は、インターネットによる人権侵害となるのだろうか。

ブログに掲載されたA建設会社は、「ブログに掲載した記事が、実名を用いており、公益目的及び真実性の証明がなく、嘘の情報を流してA建設会社の信用を傷つけた」と主張し、損害賠償請求の訴訟を起こした。民法のほかに，刑法第233条「虚偽の風説を流布し、又は偽計を用いて、人の信用を毀損し、又はその業務を妨害した者は、３年以下の懲役又は50万円以下の罰金に処する」（信用毀損及び業務妨害）と関連する。裁判では、どのように判断されたのか、資料２「高裁判決の要旨」を見てみよう。

【資料２】高裁判決の要旨
・ 匿名の管理者による私的なウェブサイトに、実名を挙げた上、これを揶揄し、誇張した表現でなされた本件記事の掲載が、専ら公益を図る目的でされたとは、容易には認め難い。 ・ 表現①③は、その記述が真実に基づくものとは認められない。表現②は相当に誇張され過ぎた記述であるといわざるを得ず、真実に基づく記述であるとまでは認め難い。 ・ A商店の社会的評価を低下させる記事を自ら管理するブログに掲載したYの行為は、公益目的の観点及び真実性の観点からみて違法であると評価され、A商店に対する不法行為を構成するものというべきである。したがって、Yは、A商店の被った損害を賠償すべきである。 ・ 自ら管理するブログに掲載した本件記事は上記のとおりA商店の社会的評価を低下させるものであるから、本件記事がブログに掲載されて一般人の閲覧に供されることにより、A商店の信用に一定の損害が生じたことは明らかである。

ここでは、「実名を挙げた上、これを揶揄し、誇張した表現でなされた記事が、公益を図る目的とは認め難い」「社会的評価を低下させる記事をブログに掲載した行為は、不法行為を構成する」と判示している。しかし、企業や政治家、行政などに対する批判的視点は必要である。本資料を通して、基本的人権の保障として、行き過ぎたものにならない表現の判断について考える機会としたい。

また、ネット上における投稿行為は、Yのようにほとんどが匿名で行っている。そのため、投稿者を特定する手続きが必要になってくる。今回の事例は、被害者側が、相手を特定し名誉回復ができたが、匿名での誹謗中傷の発信は社会問題となっている。発信者情報の開示手続きについても児童生徒を守る視点から確認しておきたい。

≪発展≫この他にも発信者情報の開示に関する裁判事例を調べてみよう。

---

[1] 名古屋高等裁判所平成24年12月21日判決をもとに筆者が学生向けに開発した判決書教材の一部。

54 教育の無償化

教科書無償の運動などから、社会権である教育を受ける権利について考えよう。

社会権とは、社会を生きていく上で、人間が人間らしく営む権利のことで、日本国憲法では、第25条から第28条で定めている。具体的には、「生存権」、「教育を受ける権利」、「勤労の権利」、「労働基本権」を指している。

ここでは、その中の第26条「教育を受ける権利」に着目する。第1項で、国民は、「その能力に応じて、ひとしく教育を受ける権利を有する」とし、また、また第2項で「普通教育を受けさせる義務を負ふ」とし、「義務教育は、これを無償とする」と定めている。この憲法の条文をもとに、国は、教育基本法や学校教育法など、教育に関する法規を定めて、教育条件の整備を行っている。

しかしながら、「義務教育の無償」について憲法には具体的に示されていない。では、「義務教育の無償」とは何を意味するのであろうか。ここでは、2つの資料、「義務教育教科書費国庫負担請求訴訟」、「教科書無償の運動」から「義務教育の無償」について考えてみたい。

【資料1】義務教育教科書費国庫負担請求訴訟（最高裁判決）[1]
公立小学校の保護者が、憲法第26条「義務教育の無償」を根拠に、教科書代金は国が負担すべきと主張した裁判である。これに対し、最高裁は1964年、以下のように判示している。 ・　憲法26条は、すべての国民に対して、教育を受ける機会均等の権利を保障すると共に子女の保護者に対し、子女をして最少限度の普通教育を受けさせる義務教育の制度と義務教育の無償制度を定めている。しかし、普通教育の義務制というが、必然的に、一切の費用を無償としなければならないと速断することはできない。 ・　憲法26条2項後段の「義務教育は、これを無償とする。」という意義は、国が義務教育を提供するにつき有償としないこと、換言すれば、保護者が、子に普通教育を受けさせる際に、その対価を徴収しないことを定めたものである。教育提供に対する対価とは授業料を意味するものと認められるから、「無償」とは授業料不徴収の意味と解するのが相当である。

資料1は、保護者が、憲法第26条の義務教育の無償を根拠に、教科書代金は国が負担すべきと主張した裁判である。最高裁の判示にあるように、「憲法26条に示す『無償』とは、授業料不徴収の意味している」と判示している。

しかし、現在、義務教育諸学校の教科書についても無償で配布されている。どうしてだろうか。資料2に示す「教科書無償の運動」を見て、無償化になった経緯を確認しよう。

【資料2】教科書無償の運動[2]

現在、義務教育段階で教科書は、当たり前のように無償で配られているが、かつては有料で、各家庭で購入して用意することになっていた。教科書・教育費等の無償化運動は戦前から取り組まれていて、戦後は全国各地で進められていた。その中で代表的なものが1961年から始まった高知県長浜地区の『教科書をタダにする会』の取組である。

長浜地区では教師と児童の保護者と学校の教師による学習会が実施されていた。その中で、憲法26条2項に目に留まる。「すべての国民は、法律の定めるところにより、その保護する子女に普通教育を受けさせる義務を負ふ。義務教育は、これを無償とする。」

ならば、教科書はただじゃないのか。そして、校区の様々な団体が協力し「長浜地区小中学校教科書をタダにする会」をつくり、日本国憲法に保障された「教育を受ける権利（第26条）」を実現しようと紆余曲折を経ながらねばり強く運動を続けた。

その後、義務教育の教科書について無償とすべきとの声は高まり、国会でも大きな問題としてとりあげられ、1963（昭和38）年には「義務教育諸学校の教科用図書の無償措置に関する法律」が成立する。そして、1964年度から1969年まで小学校低学年から順次、全国の小中学校の教科書が無償提供されることになった。

教科書が無償なのは、資料2に示す1961年に始まる高知県長浜地区に代表とされるような「教科書無償の運動」が影響して制定されたといわれる「義務教育諸学校の教科用図書の無償措置に関する法律」（通称「教科書無償措置法」）（1963年）があるからである。

「教科書無償給与制度」について、文部科学省は、「憲法第26条に掲げる義務教育無償の精神をより広く実現するものとして、我が国の将来を担う児童・生徒に対し、国民全体の期待をこめて、その負担によって実施されています。」「この制度は、次代を担う児童・生徒の国民的自覚を深め、我が国の反映と福祉に貢献してほしいという国民全体の願いをこめて行われているものであり、同時に教育費の保護者負担を軽減するという効果をもっています。」と言及している[3]。そして、教科書には、「この教科書は、これからの日本を担う皆さんへの期待をこめ、国民の税金によって無償で支給されています。大切に使いましょう。」と記されている。

このように、社会権の一つである、「教育を受ける権利」を守ろうとして立ち上がり、運動を進めていった人々の姿から、教科書無償化の経緯を学ぶことができる。これらは、教職員として知っておきたい知識の一つある。

≪発展≫社会権の一つである「教育を受ける権利」を実現できるように、国が整備している教育基本法や学校教育法などについて関連を調べてみよう。

---

[1] 最高裁判所昭和39年2月26日判決より。

[2] 高知県教育センター「高知県人権教育資料集1（同和問題）つながり」、2004年や、熊本市教育委員会「参加体験型人権学習実践事例集じんけん3」2006年等を参照。

[3] 文部科学省ＨＰ　https://www.mext.go.jp/a_menu/shotou/kyoukasho/gaiyou/990301m.htm

55 信教の自由と学校

学校における信教の自由、多様性への配慮について考えよう。

現在、学校では、様々な場面で児童生徒の多様性への対応が求められている。しかし、校則問題や信教の自由への対応など、児童生徒個人の自由と、学校の教育的指導や配慮と対立し、訴訟となる教育裁判事例が散見する。

生徒が「宗教上の理由で、剣道の実技に参加することはできない。だからレポート提出等の代替措置を認めて欲しい」と申し出てきたら、教職員としてどのように対応するだろうか。ここでは、実際に民事訴訟裁判となった事例を基にした資料「宗教上の理由により剣道実技拒否退学処分等取消訴訟」[1]を活用して、「信教の自由」への学校における対応について考えてみよう。

【資料】宗教上の理由により剣道実技拒否退学処分等取消訴訟
1　生徒の宗教上の理由からの拒否の申し入れと学校の対応
・Ｘ高専では、保健体育が全学年の必修科目とされていたが、第１学年の体育科目の授業の種目として剣道が採用された。Aは、他の学生と共に４名の体育担当教員らに対し、宗教上の理由で剣道実技に参加できないことを説明し、レポート提出等の代替措置を認めて欲しいと申し入れたが、教員らはこれを即座に拒否した。 ・Aは、剣道の授業が開始するまでに申入れを繰り返したが、担当教員からは剣道実技をしないのであれば欠席扱いにすると言われた。校長は、その申出を知って担当教員らと協議し、これらの学生に対して剣道実技に代わる代替措置を採らないことを決めた。 ・Aは、授業では服装を替え、サーキットトレーニング、講義、準備体操には参加したが、剣道実技には参加せず、その間、道場の隅で正座をし、レポートを作成するために内容を記録していた。Aは、授業後、この記録に基づきレポートを作成して、次の授業の前の日に体育担当教員に提出しようとしたが、受領を拒否された。 ・学校側は、参加しない学生やその保護者に説得を試み、保護者に対して、参加しなければ留年すること、代替措置は採らないこと等の方針を説明した。保護者からは代替措置を採って欲しいとの陳情があったが、学校側は、代替措置は採らないと回答した。 ・その間、学校側は協議して不参加者に対する特別救済措置として剣道実技の補講を行うこととし、２回にわたって、学生とその保護者に参加を勧めたが、結局参加しなかった。 ・担当教員は、Ａの剣道実技の履修に関しては欠席扱いとし、結局、Ａらは進級不認定とされ、第２学年に進級させない旨の原級留置処分となり、Ａとその保護者に告知した。
【問】そもそも、学校内でこのような生徒や学生側が主張するような信教の自由が、認められるのであろうか。そして、学校側はどのような理由から、代替措置を認めなかったのだろうか。 　また、あなたが担当教員や、担任ならば、宗教上の理由のあるこの学生にどのような対応をとるだろうか。

この学校は、剣道実技の履修ができないことに対する代替措置を拒否している。その理由の一つが、学生が希望する代替措置を学校が認めたら、特定の宗教の信仰を援助支援することになり、憲法20条3項（「国及びその機関は、宗教教育その他いかなる宗教的活動もしてはならない」）で示す政教分離に反するという主張である。以下、最高裁の判断を参考に、学校における「信教の自由」への対応を考えてみよう。

2　裁判所の判断
・本件各処分は、Aに信仰上の教義に反する行動を命じたものではなく、その意味では、信教の自由を直接的に制約するものとはいえない。しかし、Aが重大な不利益を避けるためには剣道実技の履修という自己の信仰上の教義に反する行動を採ることを余儀なくさせられるという性質を有するものであったことは明白である。 ・校長の採った措置が、信仰の自由や宗教的行為に対する制約を目的とするものではなくても、本件各処分がこのような性質を有するものであった以上、校長は、裁量権の行使に当たり、相応の考慮を払う必要があったというべきである。 ・本件各処分に至るまでに何らかの代替措置を採ることの是非、その方法、態様等について十分に考慮するべきであったということができる。 ・信仰上の理由に基づく格技の履修拒否に対して代替措置を採っている学校も現にある。また、他の学生に不公平感を生じさせないような適切な方法、態様による代替措置を採ることは可能であると考えられる。 ・代替措置を採ることは憲法20条3項に違反するとも主張するが、信仰上の真摯な理由から剣道実技に参加することができない学生に対し、代替措置として、例えば、他の体育実技の履修、レポートの提出等を求めた上で、その成果に応じた評価をすることが、その目的において宗教的意義を有し、特定の宗教を援助、助長、促進する効果を有するものということはできない。およそ代替措置を採ることが、その方法、態様のいかんを問わず、憲法20条3項に違反するということができない。 ・校長の措置は、考慮すべき事項を考慮しておらず、又は考慮された事実に対する評価が明白に合理性を欠き、その結果、社会観念上著しく妥当を欠く処分をしたものと評するほかはなく、本件各処分は、裁量権の範囲を超える違法なものといわざるを得ない。

ここでは、「代替措置として、例えば、他の体育実技の履修、レポートの提出等を求めた上で、その成果に応じた評価をすることが、その目的において宗教的意義を有し、特定の宗教を援助、助長、促進する効果を有するものということはできない」とし、学校側が代替措置を採ることは、憲法に違反しないと判断している。

本事例では、信教の自由に対する学校側の考慮を求める判示であったが、このように、今後学校では、信教の自由をはじめ、ＳＯＧＩの権利や、外国にルーツをもつ児童生徒など、様々な場面で児童生徒の多様性への具体的な対応が求められる。

≪発展≫学校と信教の自由をテーマに「どのような主張があり、その際、どのような対応策があるのか整理してみよう。

---

[1] 最高裁判所平成８年３月８日判決をもとに筆者が学生向けに開発した判決書教材の一部。

56 子どもの最善の利益と不登校支援

子どもにとって最善の利益とは何か。

2016 年、「教育機会確保法」が制定された。この法律には、不登校児童生徒のために、学習権の観点から必要な支援を確保することが次のように示されている。

【資料１】「教育機会確保法」（一部）[1]

三　不登校児童生徒等に対する教育機会の確保等（第８条～第 13 条）

国及び地方公共団体は、以下の措置を講じ、又は講ずるよう努める

1　全児童生徒に対する学校における取組への支援に必要な措置
2　教職員、心理・福祉等の専門家等の関係者間での情報の共有の促進等に必要な措置
3　不登校特例校及び教育支援センターの整備並びにそれらにおける教育の充実等に必要な措置
4　学校以外の場における不登校児童生徒の学習活動、その心身の状況等の継続的な把握に必要な措置
5　学校以外の場での多様で適切な学習活動の重要性に鑑み、個々の休養の必要性を踏まえ、不登校児童生徒等に対する情報の提供等の支援に必要な措置

この法律では、「不登校特例校」「教育支援センター」「学校以外の場」としてのフリースクールや夜間中学など多様な学びの場の確保の必要性が示されている。これを受けて、たとえば現在公立の夜間中学校が、17 都道府県に 44 校が設置されている（2023 年 4 月の段階）。

文部科学省は不登校について、次のように述べている。

【資料２】「「不登校に関する調査研究協力者会議」最終報告書（2016）」

「不登校児童生徒の将来の社会的自立を目指し、一人一人の不登校に至った状況を受け入れ、共感し、寄り添い、その児童生徒にとって『最善の利益』が何であるのかという視点に立ち、真剣に考えなければならない」

不登校について、「多様な要因・背景により、結果として不登校状態になっているということであり、その行為を『問題行動』と判断してはいけない」

「不登校の理由に応じた働き掛けや関わりが重要である」

ここでは、対象児童生徒の「最善の利益」が何かを考え、「問題行動」と判断してはいけないことが強調されてきている。「最善の利益」とは何か。これは「子どもの権利条約」で規定されているものであり、学習権はその核になるものである。

教育機会確保法は子どもの権利条約との関連から法制化されたものである。公民

科の学習内容に位置づけることは可能である。

文科省の2018年度の調査では、小・中学校における，不登校児童生徒数は164,528人であり，不登校児童生徒の割合は１．７％となっている。高校では、不登校生徒数は52,723人であり，不登校生徒の割合は１．６％である。これは、どの学校でも１クラスに１人は不登校の児童生徒が存在している可能性が高いことを意味している。

不登校という現象はめずらしいことではなく、日常的に見られるということである。文科省は、不登校について「どの児童生徒にも起こり得ることとして捉える必要がある。」ととらえている。

「不登校支援に関する調査協力者会議」は最終報告書（2016）で次のような支援の充実が効果的であると明示している。

【資料３】「不登校に関する調査研究協力者会議」最終報告書（2016）[2]
① 一人の学級担任等の教員だけが不登校児童生徒の支援を担うのではなく、校長のリーダーシップの下、組織的な支援体制を整える。 ② 初期段階から、段階ごとの対応を整理し、組織的・計画的な支援につながるよう早期支援を行う。 ③ アセスメント（見立て）を行い、アセスメントにより導き出された支援計画を実施する。 ④ スクールカウンセラーやスクールソーシャルワーカー等との連携協力を行う。 ⑤ 家庭訪問を通じた児童生徒への積極的支援や家庭への適切な働き掛けを行う。 ⑥ 不登校児童生徒の登校に当たっての受入体制を整える。 ⑦ 児童生徒の立場に立った柔軟な学級替えや転校等の対応を行う。

これらの対応は、学校への復帰を視野に入れているものである。一方で、教育機会確保法で示されたようにフリースクールなどの多様な学びの確保も示された。

ところが現状として、多様な学びについての理解が深まらず、不登校児童生徒への支援について、保護者は大きな悩みを抱えながら生活している。

一方、現場の先生方は児童生徒の「最善の利益」を考えると、学校に登校しなくても良いのかと揺れている。はたしてみなさんはどのように考えるだろうか。グループで議論してみよう。

≪発展≫重要だと考えるところに下線を引きながら、協力者会議の報告書を読んでみよう。また、資料３の中で、不登校支援として効果的だと考えるものをあげてみよう。短期、中期、長期に分けて、不登校支援はどのように実践すべきものか、学級担任になったつもりでまとめてみよう。

---

[1] 文部科学省「義務教育の段階における普通教育に相当する教育の機会の確保等に関する法律（概要）」より。

[2] 不登校に関する調査研究協力者会議「不登校児童生徒への支援に関する最終報告～一人一人の多様な課題に対応した切れ目のない組織的な支援の推進～」2016年７月。

57 自然災害時の緊急事態対応

東日本大震災での幼稚園バス事故を事例に防災教育を考える。

2017年、「第2次学校安全の推進に関する計画」が閣議決定され、防災教育を含めた安全教育の充実が求められるようになっている。2019年度からは学校安全が教職課程のカリキュラムに組み込まれた。

2011年3月に発生した東日本大震災では大津波によって多くの悲劇が起こった。それ以後、学校教育においても震災時の教訓をもとに災害マニュアルの見直しや避難訓練などをはじめ、防災教育は大きく前進してきた。ここでは、震災津波によって幼い5人のいのちが奪われた幼稚園バス事故の判決書を活用する。自然災害時の緊急事態に対して、園長や教諭らはどのような対応をとるべきなのだろうか。判決書を読んでみよう。

【資料】幼稚園バス事故[1]判決書（著者による判決の一部の教材化）

ア　本幼稚園は、2006年に県から、学校安全計画を策定していないことを指摘され、地震マニュアルを策定した。同マニュアルにおいては、「地震の震度が高く、災害が発生する恐れがある時は、全員を北側園庭に誘導し、動揺しないように声掛けして、落ち着かせて園児を見守る。園児は保護者のお迎えを待って引き渡すようにする。」と定められていた。

イ　本幼稚園は、毎年6月に地震避難訓練をしていたが、地震発生時には園内に地震放送を流して園児が机の下に隠れ、その後に園庭に避難する訓練をしていたのみであった。園長らが地震マニュアルを教諭らに配布したり、見せることはなく、送迎に係る訓練や打合せをすることもなかった。そのため、多くの教諭・運転手らは、地震マニュアルの存在を知らず、大地震が発生した際には園児らを保護者らに引き渡すという取扱いが定められていたことを全く知らなかった。

ウ　午後2時46分、地震が発生すると、園長ら職員は、園児らを机の下に入らせるなど園児の安全確保にあたった。

エ　地震の揺れが収まると、教諭らは、園児らを幼稚園の南側の園庭に避難させた。

オ　園長はテレビで地震の情報を確認しようとしたが、停電のため、テレビを見ることができなかった。しかし、園長は、携帯電話のワンセグ放送によりテレビを視聴することや、ラジオを聞こうとすることもなかった。

カ　午後2時48分頃から、大音量でサイレンが流され、注意喚起がされた後、「大地震発生、大地震発生。津波の恐れがありますので、沿岸や河口付近から離れて下さい。」等の放送がされた。

キ　園長は、午後3時過ぎ頃、教諭らに対し、園児らを「バスで帰せ。」と指示し、教諭らは、上記指示に基づき、被災園児ら5名も一緒に小さいバスに乗せ、高台にある幼稚園から海側に向けてバスを出発させた。

ク　運転手は、まだ自宅で小さいバスの送迎を待っている保護者がいるかもしれないと考え、通常の送迎ルートを走行することとし、園児2人の自宅に順次到着したが、いずれの自宅も不在であったため園児を引き渡すことができなかった。

ケ　午後３時10分頃、バスに乗車していた園児の母親らが教諭に対し、バスはどこにいるのかを尋ねた。そこで、教諭は、所在を確認するため運転手の携帯電話に電話をしたところ、すぐにつながって運転手と話をすることができ、バスがK小学校に停車中であることを知った。

コ　園長は、教諭２名に対して、「バスを上げろ。」などと言って、徒歩で小学校へ行って小さいバスを幼稚園Cに戻すことを伝えるように指示した。この際、園長は、教諭らに対し、大津波警報が発令されていることを伝えなかった。

サ　教諭２人は、徒歩で幼稚園を出てK小学校の脇にある階段を下り、K小学校へ向かった。バスの停車に気づき、運転手に対し、「バスを上に上げろ。」との園長の指示を伝えた上、多数の自動車が避難して混んでいるため、幼稚園に戻ることができるかどうかを尋ねた。これに対し、運転手が戻ることができる旨を回答したため、教諭２人は、同園児らをバスに乗せたまま戻させることとし、教諭２人のみで本件階段を上がって幼稚園に戻った。

シ　バスは、渋滞に巻き込まれて停車していたが、津波に流されてきた家屋に後ろから押され、バスの内部に一気に水が流れ込み、園児ら５名がバス内に取り残された。

ス　３月14日、被災園児の両親らが園児らを捜索することとなり、焼け焦げた小さいバスが横転しているのを発見し、上に載っていた瓦礫等を取り除くと、その車内には被災園児ら５名が互いに抱き合うように同一方向に向いているのを発見し、焼け残った衣服の柄その他の特徴によりそれぞれの子らであることを確認した。

学校において、園長及び教諭らは、園児らに対し安全確保義務がある。

上記の判決でその義務違反があったところをあげてみよう。

【イ、オ、キ、コ】の部分に、明らかな義務違反がある。

イについて、判決書は、「学校保健安全法29条１項により作成が義務づけられている地震マニュアルの重要性」を述べている。

オについては、「ラジオ放送によりどこが震源地であって、津波警報が発令されているかどうかなどの情報を積極的に収集し、サイレン音の後に繰り返される防災行政無線の放送内容にもよく耳を傾けてその内容を正確に把握すべき注意義務があった」とする。

キ、コについては、「自然災害等の情報を収集し、自然災害発生の危険性を具体的に予見し、その予見に基づいて被害の発生を未然に防止し、園児の安全を確保すべき。…低地帯の地区に向けてバスを高台から発車させるよう指示したのは、園側に情報収集義務の懈怠（けたい＝怠慢）があった。」とする。

災害等の緊急事態に対する事前の取り組みや準備の対策は必要不可欠なものであり、同時に災害発生時に情報収集や適切な避難行動が求められている。

≪発展≫学校防災において学校教師に求められることは何か整理してみよう。

---

[1] 仙台地方裁判所平成25年９月17日判決。

58 大川小津波訴訟と安全確保義務

大川小学校震災津波訴訟では教育関係者にどのような防災への取り組みを要請しているのか。

2011 年３月の東日本大震災後の大津波によって宮城県石巻市にある大川小学校では 74 名の小学生と 10 名の教員がいのちを失った。大川小学校震災津波訴訟とは、学校教師が過失によって児童の安全といのちを確保できなかったとして、遺族の一部が市と県を訴えたものである。2019 年 11 月に最高裁判所の判断が示され、仙台高裁の判決が確定することとなり、市と県はその責任を問われることとなった。

この仙台高裁の判決では、「安全確保義務違反」として学校教員の責任を問うた。いったいどのようなものだったのか。判決書の一部を示すので、「安全確保義務違反」と思われるところに下線を引いてみよう。

【資料１】事実経過

ア　平成 23 年初め頃、C校長、D教頭及びE教諭の間で、万が一津波が大川小学校まで来た場合の対応をどうするかが話題となったことがあり、校舎の２階に逃げるか又は裏山に逃げるかという話も出たが、結論には至らなかった。

イ　3月 11 日午後２時 46 分、本件地震が発生し、宮城県北部では最大で震度７、石巻市内では震度６強が観測された。大川小の校舎内にいた児童は、教職員の指示で机の下に隠れた（一次避難）。地震の揺れが止んだ後、児童全員を校庭に避難させ、103 名の児童と教職員が校庭に避難した（二次避難）。教職員は、校庭に児童を整列させて点呼を取る一方、校舎等を見回って逃げ遅れた児童がいないことを確認した。

ウ　河北総合支所は、午後２時 52 分、防災行政無線で、サイレンを鳴らし、宮城県沿岸に大津波警報が発令されたことを呼び掛けた。大川小の校庭の屋外受信設備から流れた上記の広報の内容は、校庭に避難中の児童及び教職員の全員に伝わった。

エ　大川小には、本件地震発生の直後から、保護者等が児童を引取りに訪れており、その都度、教職員が引取りに来た保護者等の名前を確認しつつ児童の引渡しを行い、27 名は、午後３時 30 分頃までに保護者等によって引き取られて教職員の管理下を離れた。

オ　大川小の教職員は、本件地震の揺れが収まった直後から午後３時 30 分過ぎまでの間、児童らとともに校庭を避難場所として二次避難を続けていた。二次避難中も余震が繰り返し発生しており、震度３以上のものは６回であった。

カ　二次避難中、教職員は、児童を校庭から更に別の場所に三次避難させるべきかどうか、三次避難をさせるとしたらどの場所が適当かを協議、検討していた。とりわけ、E教務主任は、二次避難開始直後の早い段階から裏山への三次避難を提案していたが、強い余震が連続し、山鳴りがする中で、児童を裏山へ登らせるのは危険であるという意見を述べる教職員もあり、協議はまとまらなかった。児童を引き取りに来た保護者などからも、「津波が来るから裏山に逃げて。」などと助言されるなどしたことから、K地区の住民の意見を聴いた上、K地区の区長に対し、裏山に三次避難することを打診した。しかし、区長からは、裏山に避難することを反対されたため、D教頭は、大川小の校庭よりも高台にある三角地帯への三次避難を決断した。

キ　76名の児童は、遅くとも午後3時35分頃までに、教職員11名の指示の下、列を作って三角地帯の方向に徒歩で向かった。交流会館の敷地を列の最後尾が通り抜けた頃、北上川を遡上してきた津波が、一帯に襲来し、教職員と児童は津波に呑まれた。生き残ったのは、児童4名とE教務主任のみで、児童72名と教職員10名は全員死亡した。

ク　大川小には、午後3時37分頃に津波が到達し、大川小の校舎付近では2階建ての管理・教室棟の屋根まで達し、校舎2階の天井には浸水の痕跡が残った。

判決書には、「一次避難」「二次避難」「三次避難」という文言が出てくる。一次避難では、教職員の指示で机の下に隠れたこと、二次避難では児童全員が校庭に避難している。そして、校庭では引き取りに来た保護者に子どもを引き渡している。ここまでは、適切な安全確保のための対応ができている。問題は、第三次避難についてである。カでわかるように、二次避難場所の校庭で第三次避難場所を検討している。つまり、マニュアルに適切な第三次避難場所が記載されておらず、避難が遅れてしまったのである。そのことが「安全確保義務」違反として過失責任を問われたのである。裁判所の判断は次の通りである。

【資料2】裁判所の判断

・二次避難中、大川小の教職員らは、校庭に避難した児童の面倒を見ていたほか、大川小に児童を引き取りに訪れる保護者等への対応、避難所に指定されていた大川小の校舎の安全点検や避難者への対応、本件津波の情報収集等の作業に忙殺され、11名の教職員がまとまって裏山以外の第三次避難場所を協議・検討できる時間はなかった。
・校長等が安全確保義務（危機管理マニュアルに、地震によって発生した津波による浸水から児童を安全に避難させるのに適した第三次避難場所を定め、かつ避難経路及び避難方法を記載するなどして改訂すべき義務）を履行していれば、被災児童が津波で被災して死亡するという結果を回避することができたと認められる。

大川小学校高裁判決は、自然災害への対応に対して、これまでよりも高度な安全確保義務を学校教員に課すようになったと言われるが、もっともコアな部分は、災害対策用マニュアルの作成を徹底し、事前に避難計画を実効性あるものに準備することであると言えよう。災害が起こってから第三次避難場所を検討するのでは、児童生徒の安全を確保できないということをこの事故から教育関係者は学んでおく必要がある。

≪発展≫判決文に出てきた安全確保義務についてさらに詳しく調べてみよう。

≪参考文献≫仙台高等裁判所平成30年4月26日判決。

Ⅲ

人権感覚を育くむための探究テーマ

59 人権と人権教育

人権、人権教育、人権感覚の違いを考えてみよう。

人権を尊重することは、善悪の是非を弁別することと同様、誰もが理解できると思っている。しかしたとえ多くの人が善悪をわきまえていても、誰もが目の前の、明らかに人権侵害行為を、人権侵害と判断できるわけではない。そして人権侵害の被害者が、常に適切な対応を受け、侵害された権利が回復されるわけではない。ただ理解するだけでは、人権も、人権教育も、その意味や意義の根本を減じてしまう。そのような課題意識の中から用いられている語が、「人権感覚」である。

文部科学省「人権教育の指導方法等の在り方について[第三次とりまとめ]～ 指導等の在り方編～」(2008年) から、言葉の意味を確認しておきたい

【資料】人権、人権教育、人権感覚
(1) 人権 基本計画(「人権教育・啓発に関する基本計画」閣議決定2002年)は、人権を「人間の尊厳に 基づいて各人が持っている固有の権利であり、社会を構成する全ての人々が個人としての生存と自由を確保し社会において幸福な生活を営むために欠かすことのできない権利」と説明している。 (2) 人権の要諦 人権という言葉は「人」と「権利」という二つの言葉からなっている。人権とは、「人が生まれながらに持っている必要不可欠な様々な権利」を意味する。したがって、人権とは何かを明確に理解するには、人とはどのような存在なのか、権利とはどのような性質を持つのかなどについて、具体的に考えることが必要となる。 (3) 優劣と軽重 人権の内容には、人が生存するために不可欠な生命や身体の自由の保障、法の下の平等、衣食住の充足などに関わる諸権利が含まれている。(中略) 個々の権利には固有の価値があり、どれもが大切であって優劣や軽重の差はありえない。ただし、今日、全国各地で児童生徒をめぐって生じている様々な事態にかんがみ、人間の生命はまさにかけがえのないものであり、これを尊重することは何よりも大切なことである。 (4) 義務と責任 人権を侵害することは、相手が誰であれ、決して許されることではない。全ての人は自分の持つ人としての尊厳と価値が尊重されることを要求して当然である。このことは同時に、誰であれ、他の人の尊厳や価値を尊重し、それを侵害してはならないという義務と責任とを負うことを意味することになるのである。 (5) 人権教育 人権に関する知的理解と人権感覚の涵養を基盤として、意識、態度、実践的な行動力など様々な資質や能力を育成し、発展させることを目指す総合的な教育。[1] (6) 人権感覚

人権の価値やその重要性にかんがみ、人権が擁護され、実現されている状態を感知して、これを望ましいものと感じ、反対に、これが侵害されている状態を感知して、それを許せないとするような、価値志向的な感覚である。

（7） 価値志向的な感覚

人間にとってきわめて重要な価値である人権が守られることを肯定し、侵害されることを否定するという意味において、まさに価値を志向し、価値に向かおうとする感覚であることを言ったものである。

（8） 人権意識

人権感覚が健全に働くとき、自他の人権が尊重されていることの「妥当性」を肯定し、逆にそれが侵害されることの「問題性」を認識して、人権侵害を解決せずにはいられないとする、いわゆる人権意識が芽生えてくる。

（9） 実践行動

価値志向的な人権感覚が知的認識とも結びついて、問題状況を変えようとする人権意識又は意欲や態度になり、自分の人権とともに他者の人権を守るような実践行動に連なると考えられるのである。

人権感覚を醸成しない限り、人権の理解は、お題目としての知識となってしまう。

歩道にある点字ブロックの上に放置されている自転車を見て、高齢者や障がいのある人の姿、気持ちを推し量ることができるかどうか。児童生徒がひやかしたり、からかう場面を確認したとき、被害者と目される児童生徒がたとえ平気な顔でいたとしても、深刻な人権侵害の端緒である可能性を推測（予見）できるかどうか。会社や教室で村八分（共同絶交）にあっている人を見て、侵害された人権と、被害者の痛みを推し量ることができるかどうか。病や事故で理不尽な社会的扱いを受けている人の苦痛と背景を推し量ることができるかどうか。

深甚な人権侵害を受けた人の痛みの多くは、表面に表れない。したがって人権感覚は、対象となる事実や行為の表象の度合い以上に、人権侵害行為の直面した（あるいは傍観する）者の側に備わる能力、水準を指して用いられる。だからこそ、学校教育において、意図的、意識的に人権尊重の精神の涵養を目指す学習が、必要となるのである。

≪発展≫文部科学省「人権教育を取り巻く諸情勢について～人権教育の指導方法等の在り方について〔第三次とりまとめ〕策定以降の補足資料～」（2021 年 3 月）を参考にして、日頃から問題と感じている人権侵害の事象や事実をあげ、それがなぜ解決、改善されないままにあるのか、自身の考えをまとめてみよう。

---

[1] 人権教育及び人権啓発の推進に関する法律（2000 年）では、人権教育とは、「人権尊重の精神の涵養を目的とする教育活動」（第２条）」と定義されている。

60 社会契約としての人権

人権尊重の精神を育てる教育は、社会の根底を支える教育

民主主義を基本原理とする国家は、自然権としての生存権と人格権など、社会を根底で支える基本原理を理解し、理解するだけでなく実際に適用することのできる資質や能力を市民に修得させせなければならない。学校教育に託された社会的責務の一つは、ここにある。社会を根底で支える基本的な原理の一つ、自然権としての生存権と人格権について考えてみたい。

ロック『市民政府論』(1690) の「第９章　政治社会と政府の目的について」では、自然状態と自然権について、人が生まれながら保有する自明の権利、自然権を、「生命自由および資産」の「所有」(property) にあると説明されている。ではなぜ、強制的に屈服させせられてもいないのに、自然状態で得ていた自由を手放し、税を払ってまで、権力の規制に服しているのか。

ロックは、自然状態では各人が自らの力に応じて恣意的な解釈で自然権を行使するために、他の自然権に対する侵害を顧みぬ状態に陥り易い。そこで市民は、人が人として生きる最低の条件である生命、自由、資産の一部を公共（社会）に拠出し、自然状態では得られない所有そのものの安定的保証を得ようとしたのだと説明する。

資料は、岩波文庫版（鵜飼信成訳 1968 年）該当部分の抜粋・要旨である。

【資料】ロック『市民政府論』(1690)　自然権に関する箇所の抜粋・要旨

（1）　ジョン・ロック(1632-1704)は、名誉革命（1688）の正当性事由と根拠をわかりやすく説き起こした。その素朴かつ明快な論理は、現在に至るまで、市民社会の立ち戻るべき原点を教えてくれる。文庫本で入手できるので前文を読んでみたい。〔　〕の数字は岩波文庫版の文節番号である。

〔123〕もし自然状態で自由で、誰にも服従していなかったとすれば、なぜ自由を捨ててまでして、権力の支配統制に服するのか。ロックは、自然状態では、自然権として持っている権利は、なんの保証もない不安定な状態で、絶えず他からの侵害にさらされているため、「生命自由および資産、すなわち総括的に私が所有 property と呼ぼうとするもの」の確実な保証を確保するために、人は、社会を組成し、国家権力を用いて統治する者の命に従うのだと説明する。(127 頁)

（2）　では、どのような意味で、生命と自由が不安定なのか。自然状態では、次の３つの側面が欠けていると説明する。

〔124〕　第１に、確立され、安定した、公知の法が欠けている。争いを裁決する一般的尺度がないため、ある時は利益から、ある時は無知から、自然権と、自然権に基づく自然法の適用を認めない傾向がある。(128 頁)

〔125〕　第２に、自然権が対立したときに、確立した法に従って権威を以て判定してくれる、公平な裁判官が欠けているので、ある時は感情や復讐心のために、ある時は怠慢無関心で、やはり公平な対応が保証されない。(128 頁)

〔126〕　第３に、たとえ判決が正しいとしても、これを適切に実行する権力が欠けているため、力によって不正を遂行するものがいたり、罰するにも危険をともなって、結局は実現しないことがある。(128 頁)

人は、自然権、生命と自由を中核に据える自然権をより安定的に保証するために、相互に人為的な契約を結び、社会を形成し、国家の統制を許容するのであるが、同時に、法に従い、税を納める。

しかし同時に、強制や統制に服す行為は、個々人が国家と結ぶ双務的な契約である。したがって、公権力が個人に行使できる権力行為の範囲は、本来、限定的であるはずのものである。

『市民政府論』には、「各人がこうすることによって自分自身の自由と所有とを、よりよく維持しようとする意図から出たものに過ぎ」ず、「社会の権力ないし彼らによって組織された立法権は、公共の福祉を越えたところまで及ぶとはとうてい想像できない」(〔131〕131 頁) など、憲法や法は、市民に対してではなく、権力に契約を履行させる証文であることの根拠が、分かりやすい言葉で説明されている。

自然権思想が人の存在にさきがけて無前提的に付与されるという思想が正しくとも、実際上は、決して無前提に保障されていないという現実は、今日も変わらない。

権利は生まれながら人に付されているが、権利の保障を実際に機能させる資質・能力を備えた人が、生まれながらに存在するわけではない。そして市民社会の成否は、市民の大多数が、社会の原理を理解・習得し、自らの行為として徹底できるか否かに、かかっている。したがって、社会を根幹で支える原理を、徹底して繰り返し学ばせなければならない。

自然権の保証を根本において安定させ、実現を期すには、教育、とりわけ学校と教員の力に依拠するほかはないのである。

≪発展≫国家が国民に対して自然権を侵害することが正当化されるとしたら、どのような場合だろうか。意見交換をしてみよう。

≪参考文献≫梅野正信『裁判判決で学ぶ日本の人権』明石書店　2006 年。同「ジョン・ロック　市民政府論」『名著解題』協同出版、2009 年。

John Locke　*TWO TREATISES OF GOVERMENT*　1690/『全訳統治論』伊藤宏之訳、柏書房、1997 年。

61 生命と尊厳

戦後国際社会はどのような共通認識をもって世界人権宣言を採択したか。

国際連合（1945）の設立にともなう「国際連合憲章」(1945)、「国際連合教育科学文化機関憲章（ユネスコ憲章）（1945）」、そして「世界人権宣言（1948）」などの文書は、名称だけであれば、中学校の社会科、高校公民科で、一度は目にしてきたはずである。あらためて、前文だけでも、読み直してみたい。

【資料１】第二次世界大戦後の国際文書

① 国際連合憲章（1945）

（前文）われらの一生のうち二度まで言語に絶する悲哀を人類に与えた戦争の惨害から将来の世代を救い、基本的人権と人間の尊厳及び価値と男女及び大小各国の同権とに関する信念を改めて確認し、（中略）寛容を実行し、且つ、善良な隣人として互に平和に生活し、国際の平和および安全を維持するためにわれらの力を合わせ[1]

② 国際連合教育科学文化機関憲章（ユネスコ憲章）（1945）

（前文）　ここに終りを告げた恐るべき大戦争は、人間の尊厳・平等・相互の尊重という民主主義の原理を否認し、これらの原理の代わりに、無知と偏見を通じて人間と人種の不平等という教義をひろめることによって可能にされた戦争であった。文化の広い普及と正義・自由・平和のための人類の教育とは、人間の尊厳に欠くことのできないものであり、且つすべての国民が相互の援助及び相互の関心の精神をもって果さなければならない神聖な義務である。

③ 世界人権宣言（1948）

（前文）　人類社会のすべての構成員の固有の尊厳と平等で譲ることのできない権利とを承認することは、世界における自由、正義及び平和の基礎であるので、人権の無視及び軽侮が、人類の良心を踏みにじった野蛮行為をもたらし、言論及び信仰の自由が受けられ、恐怖及び欠乏のない世界の到来が、一般の人々の最高の願望として宣言された。

戦後社会を象徴するこれらの国際的文書から、前文の一部抜粋ではあるが、共通する願いや思いが込められていることがわかる。その後の国際的文書では、①②③の文書に記された願いを引き継ぐ形で締結、決議されている。

資料２は国連で決議された代表的な国際条約[2]である。

【資料２】第二次世界大戦後の国際文書

④　市民的及び政治的権利に関する国際規約（Ｂ規約）（1966）

（前文）　この規約の締約国は、国際連合憲章において宣明された原則によれば、人類社会のすべての構成員の固有の尊厳及び平等のかつ奪い得ない権利を認めることが世界における自由、正義及び平和の基礎をなすものであることを考慮し、これらの権利が人間の固有の尊厳に由来することを認め、世界人権宣言によれば、自由な人間は市民的及び政治的自由並びに恐怖及び欠乏からの自由を享受するものであるとの理想は、すべての者がその経済的、社会的及び文化的権利とともに市民的及び政治的権利を享有することのできる条件が作り出される場合に初めて達成されることになることを認め、

⑤　あらゆる形態の人種差別の撤廃に関する国際条約（1965）

（前文）　国際連合憲章がすべての人間に固有の尊厳及び平等の原則に基礎を置いていること並びにすべての加盟国が、人種、性、言語又は宗教による差別のないすべての者のための人権及び基本的自由の普遍的な尊重及び遵守を助長し及び奨励するという国際連合の目的の一を達成するために、国際連合と協力して共同及び個別の行動をとることを誓約したことを考慮し、

⑥　女子に対するあらゆる形態の差別の撤廃に関する条約（1979）

（前文）　国際連合憲章が基本的人権、人間の尊厳及び価値並びに男女の権利の平等に関する信念を改めて確認していることに留意し、世界人権宣言が、差別は容認することができないものであるとの原則を確認していること、並びにすべての人間は生まれながらにして自由であり、かつ、尊厳及び権利について平等であること並びにすべての人は性による差別その他のいかなる差別もなしに同宣言に掲げるすべての権利及び自由を享有することができることを宣明していることに留意し、

⑦　児童の権利に関する条約（1989）

（前文）　国際連合憲章において宣明された原則によれば、人類社会のすべての構成員の固有の尊厳及び平等のかつ奪い得ない権利を認めることが世界における自由、正義及び平和の基礎を成すものであることを考慮し、

戦後の国際社会が、国際連合を設立し、そこで共有された認識、認識の背後にあった事実とは、何であったのだろうか。資料の各文書を読み、戦後国際社会に受け継がれてきた言葉、言葉の中にある人権教育を求める語句を取り出し、共通するキーワードをあげてみたい。

受け止め方は、人それぞれの感性、専門とする知的理解によって違うだろうが、まずもって、人の生命や尊厳、寛容で多様性を認める社会を目指すものとなっていることがわかるだろう。

これらの語が同じように繰り返し用いられてきたことの意味、また、それぞれ宣言や条約から想起される時代状況と、時代に特徴的な社会的課題についても確認することで、人権を蹂躙され、生存と尊厳の危機にあり、悲しい思いをした人の存在、人の姿、事実との接点を忘れないようにしたい。

≪発展≫各文書は、どのような事実を念頭において④「認め」、⑤「考慮し」、⑥「留意し」、⑦「考慮し」たのだろうか。文言が使われた時代背景、国際社会が共有していた具体的な歴史的事実についても、考えてみよう。

---

[1] 福田弘編訳『人権・平和教育のための資料集』明石書店、2003年。

[2] 外務省ＨＰ。

62 責任と判断

責任と判断の前提となる人権感覚

多くの人は、規範の多くを常識と信じている。だが、信じきっていた常識が崩壊し転倒することがある。良識と理解されてきた常識の転倒は、世界史上、戦争の渦中に立ち現れてきた。

第二次世界大戦後、欧米諸国は、ホロコーストを防ぐことがでず、良識を麻痺させ、崩壊させた事実と記憶を、繰り返し教訓としてきた。(ユネスコ憲章前文、世界人権宣言前文を参照)

アメリカの哲学者ハンナ・アーレント (Hannah Arendt:1905-1975)が問題とし続けた主題も、そこにある。ユダヤ人であり、フランスで強制キャンプにとらわれた体験を持つ彼女は、人道的な考えを持ち、常識と良識を持っていながら、なぜ多くの人々が虐殺を黙認・看過してしまったのか、反対に、自身も虐殺されるかもしれないと予見しながら、それでも、ユダヤ人の拘束と強制収容所への送致を容認した人が、なぜ存在したのかを繰り返し問いかけた。

資料1は、『ザ・リスナー』に発表された「独裁体制のもとでの個人の責任」(1964. 8. 6)[1] からの抜粋と要約である。

【資料】「独裁体制のもとでの個人の責任」(1964. 8. 6)
(1) アーレントが「独裁体制のもとでの個人の責任」がザ・リスナーに掲載されたのは。ザ・ニューヨーカーに公表したアイヒマン裁判の傍聴記録（「エルサレムのアイヒマン―悪の陳腐さについての報告―」）の翌年、1964年である。 「エルサレムのアイヒマン」では、アイヒマンを極悪人として描かず、凡庸な人間の行為と論じ、ユダヤ人社会から強い批判を浴びることになった。「独裁体制のもとでの個人の責任」は、その彼女の真意を説明するものとなっている。
(2) アーレントは、アイヒマンと、ホロコーストを主導した人々を免罪したのではない。彼女は、たとえ「実際に〈歯車〉」にすぎなかったとしても、「だからといって，誰も個人的に責任を負わないということになるでしょうか。」(39頁) と述べ、責任を逃れようとする言辞を認めない。服従していたのだという言辞にも、(子ならまだしも)「成人が服従する場合には，実際には組織や権威や法律を支持しているにすぎず」、指導者に服従したようにみえても、「実際には指導者とその営みを支援し」ていたのだと断じる。 なぜなら、こうした「服従」なしには、たとえヒトラーのような独裁者であっても、ホロコーストを実行に移すことはできなかったのだという。「なぜ服従したのか」ではなく「なぜ支持したのか」と厳しく問う。「服従するしかなかった」という言い訳は悪質な詭弁に過ぎないと述べる。(57～59頁)

（3）「歯車だった」「抗する術がなかった」と言い逃れるアイヒマンの姿から、誰もがアイヒマンのように残虐な行為者となる可能性があるとの指摘は、異常な極悪人の指弾を期待していたユダヤ人社会には、受け入れ難かった。
（4）そのような時でさえ、身の危険を予見しながらも、ユダヤ人たちをかくまおうとした人々は、なぜそのようなことができたのか、アーレントは、このような人々を、「殺人者である自分とともに生きていくことができないと考えた」人、すなわち、自身の行為を常に相対化し、のちになって自身を振り返るとき、この行為が、（自身にとって）許される行為か否かを、その場にあって、ほかならぬ自身で判断し行為できた人であったと、説明する。アーレントは、このような行為こそが、「自己とともに生きていきたいという望み」であり、ソクラテスやプラトンの時代から、「わたしたちが思考と呼んでいる行為」なのだと、述べている。(55頁)

資料に関連して、二つの語について考えてみたい。一つは「思考」という言葉、いま一つは、タイトルにあげた「人権感覚」という言葉である。

現行学習指導要領が求める「思考力」「判断力」「表現力」などの資質・能力として使われる「思考」の語についても、アーレントの指摘をもとに、自身を相対化、自省し、自己との対話を通した深い学びを通して得られる「思考」の側面についても、忘れないようにしたい。

「人権感覚」とは、「人権の価値やその重要性にかんがみ、人権が擁護され、実現されている状態を感知して、これを望ましいものと感じ、反対に、これが侵害されている状態を感知して、それを許せないとするような、価値志向的な感覚」（「人権教育の指導方法等の在り方について〔第三次とりまとめ〕」）と説明されるが、このような人権感覚にもとづく自律的規範意識も、アーレントのいう「思考と呼んでいる行為」から生み出される。

身近なハラスメントやいじめ行為から、ホロコーストに至るまで、事態に接し、自律的に判断し行為する人もいれば、見て見ぬふりをして弁明を繰り返す人もいる。

なぜ生命の危険を顧みず、助ける人がいたのか。

なぜ、そのようなことができたのか。

アーレントの素朴な問い、言葉の意味を考えてみたい。

≪発展≫映画「ショア」(Shoah:1985)、「黄色い星の子どもたち」(La Rafle:2010)、「ハンナ・アーレント」(Hannah Arendt:2012) から一つの作品を視聴し、ハンナ・アーレントの「問い」をもとに、自身の考えをまとめてみよう。

---

[1] ハンナ・アーレント「独裁体制のもとでの個人の責任」『責任と判断』中山元訳、筑摩書房、2007年。

63 日常生活に関連づけた学習

人権教育では「日常生活」と「参加」の視点を大切に

国際社会における人権教育の展開は、1995年にはじまる「人権教育のための国連10年」を機に取り組みがすすみ、今日まで、各国の教育的施策において、途切れることなく広がりをみせ、浸透してきている。この世界的潮流に、日本は積極的な関与と指導力をみせてきた。

資料1は、人権教育に関連した国連における取り組みと、日本国内における主な動向を整理したものである。国連10年、世界計画、研修宣言などとあわせて、日本においても、関連法の制定、人権教育を推進する教育的施策の推進を確認できる。

【資料1】協力的、参加的、体験的な学習導入の経緯（1字開けた事項は日本国内の対応）
人権教育のための国連10年(1995～2004年)
人権擁護推進審議会答申(1999年)
人権教育・啓発推進法(2000年)
人権教育・啓発基本計画（閣議決定）(2002年)
人権教育の指導方法等に関する調査研究会議(2003～2015年)
人権教育のための世界計画第1フェーズ(2005～2009年)
障害者の権利に関する条約(2006年)
人権教育の指導方法等のあり方について［第三次とりまとめ］(2008年)
人権教育のための世界計画第2フェーズ(2010～2014年)
人権教育・研修国連宣言(2012年)
基本計画の一部変更(閣議決定)(2011年)
学校における人権教育調査研究協力者会議(2016年～)
人権教育のための世界計画第3フェーズ(2015～2019年)
人権教育のための世界計画第4フェーズ(2020～2024年)

国連における決議、文書、宣言では、人権及び人権教育の重要性とともに、とりわけ学校教育における児童生徒を対象とした学習方法、内容の工夫についても、具体的な示唆がなされている。資料2には、学習方法に関わるキーワードを取り出している。

【資料2】人権教育に関する国連の文書にみる学習方法・内容のキーワード
(1) 人権教育のための国連10年国連行動計画（1994年）
・人権と基本的自由の尊重の強化。
・人格及び人格の尊厳に対する感覚の十分な発達。
・日常生活に関連づけた方法。
(2) 人権教育のための世界計画第1フェーズ（2005年～2009年）

・初等中等教育における人権教育の推進。
・人権の指導及び学習を、生徒の日常生活及び関心に関連させる。
・活発な参加、協力的な学習並びに連帯感、創造力、及び自尊心を促す。
・人権を実践できる経験に基づいた学習方法を採用する。

(3) 人権教育のための世界計画第２フェーズ（2010 年～2014 年）
・人権を、抽象的な規範の表現から、社会的、経済的、文化的、及び政治的状況の現実へと変容させる方法及び手段についての対話に参加させることで、人権を学習者の日常生活と関連させる。

(4) 人権教育及び研修に関する国連宣言（2012 年）
・あらゆる人権の効果的な実現を追求し、寛容、非差別及び平等を促進すること。
・平等、人間の尊厳、統合、ならびに非差別の原理、とくに女子と男子、女性と男性の間の平等の原理に基づくものでなければならない。
・人権教育及び研修はこの多様性からインスピレーションを引き出すだけでなく、多様性を大切に受け容れ、豊富化すべきである。

(5) 人権教育のための世界計画第４フェーズ（2020 年～2024 年）
・第１、第２、第３フェーズが対象とした内容で引き続き人権教育プログラムを実施。
・優れた実践と教訓を基盤にした経験の交流。
・女性の平等、差別、統合、尊重に焦点を当て、包括的で平和な社会を構築するための教育の促進。
・移民、難民、不寛容、差別との闘いにおける教育の重要性。

基本的人権の理解ともに、「参加、協力的」な学習を積極的に組み入れ、「抽象的な規範の表現」だけでなく、学習者を「現実」をふまえた「対話」に参加させること、「人権を学習者の日常生活と関連させる」こと等の重要性を指摘している。

また、今日進められている第４フェーズは、持続可能な開発目標（ＳＤＧs）の基本資料「持続可能な開発のための 2030 アジェンダ」の目標４．７との連携を指示するものとなっている。

【資料３】持続可能な開発のための 2030 アジェンダ（2015 年）

４．７　2030 年までに、持続可能な開発のための教育及び持続可能なライフスタイル、人権、男女の平等、平和及び非暴力的文化の推進、グローバ ル・シチズンシップ、文化多様性と文化の持続可能な開発への貢献の理解の教育を通して、全ての学習者が、持続可能な開発を促進するために必要な知識及び技能を習得できるようにする。

ＳＤＧｓをはじめ、国際社会の取り組みの多くには、人権教育の理念が中核に据えられているのである。資料２、３とも外務省ＨＰ等で原文と訳文を確認しておきたい。

≪発展≫ＳＤＧｓの各項目から「人権」や「人権教育」と密接に関連する文言を取り出し、選択した理由とあわせて、意見交換をしよう。

64 「協力的」「参加的」「体験的」な学習

人権に関する知識を深め人権感覚を醸成する学習活動

人権に関わる課題は、児童虐待、同和問題、ハンセン病問題など、課題そのものの具体的な事実と、人権侵害を受けた人の被害の実態を正確に理解することが必要である。そのうえで、課題や問題を深く理解するために、法や条約などをはじめとする原理的、理論的理解が必要である。このような、事実理解と原理的理解を、学習者自身の行動や実践に結び付ける、大切な役割を果たすものといえる。

人権教育、人権に関わる課題の学習では、知的理解にとどまらない、学習者自身の態度や行動変容を意識した人権感覚を醸成する取り組みの重要性が指摘されてきた（人権擁護推進審議会答申 1999 年）。このことにあわせて、人権感覚の醸成に欠かせない学習方法として、「協力的」「参加的」「体験的」な学習が、積極的に取り組まれるようになったのである。

資料１にある「人権教育の指導方法等の在り方について［第三次とりまとめ］」（文部科学省 2008 年）は、人権感覚の醸成と、「協力的」「参加的」「体験的」な学習の関係を、次のように説明している。

【資料１】協力的、参加的、体験的な学習の役割
（1） 人権感覚を育成する基礎となる価値的・態度的側面や技能的側面の資質・能力に関しては、なおさらのこと、言葉で説明して教えるというような指導方法で育てることは到底できない。 （2） 児童生徒が自ら主体的に、しかも学級の他の児童生徒たちとともに学習活動に参加し、協力的に活動し、体験することを通してはじめて身に付くといえる。 （3） 児童生徒が自分で「感じ、考え、行動する」こと、つまり、自分自身の心と頭脳と体を使って、主体的、実践的に学習に取り組むことが不可欠なのである。 （4） 「体験すること」はそれ自体が目的なのではなく、「話し合い」、「反省」、「現実生活と関連させた思考」の段階を経て、それぞれの「自己の行動や態度への適用」へと進んでいくべきものである。 （5） 様々な人々との交流活動や擬似体験活動などにより、人間関係を築く能力やコミュニケーションの技能、他の人の立場に立って考えられるような想像力を培うなど、児童生徒の実態等に応じて、創意工夫を凝らして取り組むことが望ましい。 （6） 体験的な活動等を系統的に展開する、事前・事後指導を工夫するなど、単発的なものに終わらせることなく、人権教育全体の中での意義を明確にして、児童生徒一人一人が活躍できるように配慮し、達成感を味わわせ、自立心を養うような工夫に努める。　（19 頁）

「協力的」「参加的」「体験的」学習は、自治体、教育委員会が編纂する人権教育資

料集等においては、たとえば、「挨拶」や「名前」に関わるコミュニケーションを主とする活動（アクティビティ）を通して、相互に相手の人格と尊厳を深く理解する契機とするなど、小学校段階から高校段階まで、多くの事例が紹介されている。

【資料2】コミュニケーションに関わる指導事例（一例）
（1）「挨拶ゲーム」：『人権・同和教育資料　参加体験型学習資料中学校編』（香川県教育委員会 2008年）
（2）「どう呼ぶ？」「友達の名前」：『人権教育指導資料 人権教育の改善・充実のためのQ&A（第二集）』（栃木県教育委員会 2009年）
（3）「うれしい言葉きずつく言葉」：徳島県教育委員会『かぞくでいっしょにじんけん学習プログラム』（2010年）
（4）「あなたは聴き上手？」「魔法のことば」「励まし名人」「Ｉメッセージで伝えよう」：『人権教育ハンドブック－中学校・高等学校編－』（宮崎県教育委員会 2009年）
（5）「とっておきの言葉」：『人権感覚育成プログラム　社会教育編』（埼玉県教育委員会 2009年）
（6）「ラストシーンはこうでなくっちゃ」：『人権学習資料集〈中学校編〉指導の手引き』（京都府教育委員会 2009年）

教育委員会による人権教育資料には、多くの指導資料や実践事例が掲載されている。検索・閲覧できる資料もあるので、模擬授業等で体験することもできる[1]。巧拙を気にせず取り組んでほしい。

人権教育として取り組む「協力的」「参加的」「体験的」学習は、スキルの修得にとどまらず、現実に、人権侵害を受けて、痛みを感じ、つらい思いをし、被害にあい、大変な事態にある人の存在に、思いを寄せる活動となることが大切である。取り組もうとする姿勢もまた、人権を尊重する真摯な気持ちを相手に伝える大切な要素といえる。

≪発展≫教育委員会によって編纂された人権教育資料を調査し、社会的課題の学習に活用する形で授業案を作成し、実際に体験してみよう。

≪参考文献≫梅野正信「『言葉』と『コミュニケーション』の技法を高める　運動部活動指導者のコミュニケーション技法」『シナプス』第25号、2013年。

[1] 梅野正信「人権教育資料の分析的研究1－『協力的』『参加的』『体験的』な学習を中心とする指導例示の特色と傾向－」『上越教育大学研究紀要』第31巻、2012年。同「人権教育資料の分析的研究2－人権課題に関わる指導例示の特色と傾向－」『上越教育大学研究紀要』第32巻、2013年、59～73頁。

65 人権教育と道徳教育の接点

人権教育の特色、道徳教育との接点及び相違点を考えてみよう。

人権教育は、第二次世界大戦の終結に際し、国連において、加盟国が国連憲章(1945年)、ユネスコ憲章(1945年)及び世界人権宣言(1947年)をもって世界の国と人々に約束した教育であり、同時に、日本政府が、基本的人権の語を用いて、日本国憲法(1947年)及び教育基本法(1945年)をもって国民に約束した権利に関する教育である。そしてこれらの憲章、宣言、法は、第二次世界大戦と人の犠牲を歴史の教訓とするものであるという点で、共通している。

資料は、人権教育の特色と要件をあげたものである。

【資料】人権教育の特色と要件

（1）人権教育は、人が人を大量に殺戮した事実、殺戮の正当化と憎悪の流布を目の当たりにした体験、ホロコーストに象徴される非人道的な行為が、人の尊厳を否定する言葉や行為の広がりを端緒とした、現実に起きた事実、歴史的事実をふまえた教育である。

（2）人権教育は、国内法、国際的な条約や宣言等に根拠をもつ教育である。冷戦崩壊後の戦争や紛争、貧困の拡大にともない、人権教育の重要性がふたたび指摘されるようになったのは、1990年代である。国連は、人権教育のための国連10年(1994年)、人権教育及び研修に関する国連宣言(2012年)、人権教育のための世界計画第4フェーズ(2020～2024年)へと続く人権教育施策を推進してきた。日本もまた、これらの共同提案国となり、国内では人権教育及び人権啓発の推進に関する法律(2000年)を制定した。国が、権力や権威の制約を含む教育を国民に普及する責任を持つという意味で、日本社会の存立と維持、発展に不可欠の、社会の基底を支える教育である。

（3）人権教育は、人権侵害の事実と現実を念頭におく教育である。生存、自由、尊厳、平等などの人権にかかわる普遍的学習をはじめ、過去及び現在の人権侵害の事実、その解決や改善の方途、女性、子ども、高齢者、障がい者、同和問題、アイヌの人々、ハンセン病問題、犯罪被害者等、そしてインターネットにおける人権侵害など、国際社会や日本社会の人権侵害と人権にかかわる諸課題、特定の地域、特定の自治体が求める個別的課題の学習が期待される教育である。日本政府が国民と世界に向けて、個別具体的な人権侵害の事実を認め、その改善と解決を国の課題とするとともに、教育的課題として位置付けていることの意味は小さくはない。

（4）人権教育は、道徳教育、「特別の教科　道徳」(道徳科)、各教科等と相補的な深まりが期待される教育である。人権教育の個々の側面や部分は、道徳教育や道徳科、各教科等、学校教育活動の全体を通して学ばれている。特に道徳科では、学習指導要領に示された内容項目をみても、人権教育が求める知識的側面、価値的・態度的側面、技能的側面と重なり合う箇所は、少なくない。

（5）人権教育は、人権侵害を受けて心や身体が傷つき、痛め、苦しむ人の、個別具体的な被害の差し止め、根本的解消に資することを意識し念頭において行われる教育である。人としての尊厳を理不尽に損なわれた人、とりわけ児童生徒の存在を忘れてはならない。

道徳教育は、「特別の教科　道徳」を要として「学校の教育活動全体を通じて行う」（『小学校学習指導要領（平成29年告示）総則』）とされる。また、「道徳教育を進めるに当たっての留意事項」には、「人間尊重の精神と生命に対する畏敬の念を家庭、学校、その他社会における具体的な生活の中に生かす」と記載され、同解説では「人間尊重の精神は、生命の尊重、人格の尊重、基本的人権、人間愛などの根底を貫く精神」であり「日本国憲法に述べられている「基本的人権」や、教育基本法に述べられている「人格の完成」，さらには、国際連合教育科学文化機関憲章（ユネスコ憲章）にいう「人間の尊厳」の精神も根本において共通するもの」とされている。

「民主的な社会においては、人格の尊重は、自己の人格のみではなく、ほかの人々の人格をも尊重することであり、また現代的な課題と関連の深い内容である」（「中学校学習指導要領（平成29年告示）解説　特別の教科道徳編」）との記載をはじめ、「人権教育の指導方法等の在り方について［第三次とりまとめ］」の趣旨と重なる記述も少なくない。

道徳教育においては、可能な範囲で、国連および日本政府が自らに課し、法または条約として解決を国民に約した個別課題を念頭におき、人権、生存、自由、人としての尊厳を回復し改善する道程に児童生徒を向かわせる学習を組み入れるものとなるよう期待したい。

人権教育においても、社会の基底的な秩序や規範を支える教育として、道徳教育や道徳科、各教科を含む教育活動と相互に補いあい、連携し、教育活動の全体を通して取り組まれることが、期待されている。

≪発展≫文部科学省「人権教育を取り巻く諸情勢について～人権教育の指導方法等の在り方について〔第三次とりまとめ〕策定以降の補足資料～」（2021年3月）を参考にして、道徳の学習指導要領や教科書と、［第三次とりまとめ］に説明されている人権教育の学習内容について、共通点と相違点を整理しよう。

≪参考文献≫梅野正信「人権教育の趣旨を生かした学習への期待」『架橋』第38号、鳥取市人権情報センター、2018年。
梅野正信・蜂須賀洋一「「特別の教科　道徳」の教科書に見る人権教育関連題材の研究」『上越教育大学研究紀要』第39巻第2号、2020年。
蜂須賀洋一・梅野正信「「特別の教科　道徳」小学校検定教科書にみる人権教育関連題材の研究」同第40巻第2号、2021年。

66 感染症をめぐる差別と偏見

感染症を理由とする差別的言動を助長してきた政策とは

感染症は、疾病でありながら、人から人へと罹患することへの恐怖心を助長し、罹患したもの、あるいは罹患していなくとも、患者の家族、関係者に対する不合理な差別を生み出してきた。それだけではない、治療により治癒し、感染力がないことが証明されても、なお差別が続くことがある。

資料は、感染症を理由とする差別と偏見により深刻な人権侵害を受けた人々の存在、とりわけハンセン病を理由とする差別、偏見について、さらには、国がその差別や偏見を放置し、助長してきた点に言及した法律である。

【資料】感染症をめぐる差別に言及する法律の前文（抜粋）

（1） 感染症の予防及び感染症の患者に対する医療に関する法律（1998年）

（前文） 人類は、これまで、疾病、とりわけ感染症により、多大の苦難を経験してきた。ペスト、痘そう、コレラ等の感染症の流行は、時には文明を存亡の危機に追いやり、感染症を根絶することは、正に人類の悲願と言えるものである。医学医療の進歩や衛生水準の著しい向上により、多くの感染症が克服されてきたが、新たな感染症の出現や既知の感染症の再興により、また、国際交流の進展等に伴い、感染症は、新たな形で、今なお人類に脅威を与えている。一方、我が国においては、過去にハンセン病、後天性免疫不全症候群等の感染症の患者等に対するいわれのない差別や偏見が存在したという事実を重く受け止め、これを教訓として今後に生かすことが必要である。このような感染症をめぐる状況の変化や感染症の患者等が置かれてきた状況を踏まえ、感染症の患者等の人権を尊重しつつ、これらの者に対する良質かつ適切な医療の提供を確保し、感染症に迅速かつ適確に対応することが求められている。

（2） ハンセン病療養所入所者等に対する補償金の支給等に関する法律（2001年）

（前文） ハンセン病の患者は、これまで、偏見と差別の中で多大の苦痛と苦難を強いられてきた。我が国においては、昭和二十八年制定の「らい予防法」においても引き続きハンセン病の患者に対する隔離政策がとられ、加えて、昭和三十年代に至ってハンセン病に対するそれまでの認識の誤りが明白となったにもかかわらず、なお、依然としてハンセン病に対する誤った認識が改められることなく、隔離政策の変更も行われることなく、ハンセン病の患者であった者等にいたずらに耐え難い苦痛と苦難を継続せしめるままに経過し、ようやく「らい予防法の廃止に関する法律 」が施行されたのは平成八年であった。我らは、これらの悲惨な事実を悔悟と反省の念を込めて深刻に受け止め、深くおわびするとともに、ハンセン病の患者であった者等に対するいわれのない偏見を根絶する決意を新たにするものである。ここに、ハンセン病の患者であった者等のいやし難い心身の傷跡の回復と今後の生活の平穏に資することを希求して、ハンセン病療養所入所者等がこれまでに被った精神的苦痛を慰謝するとともに、ハンセン病の患者であった者等の名誉の回復及び福祉の増進を図り、あわせて、死没者に対する追悼の意を表するため、この法律を制定する。

（3）　ハンセン病問題の解決の促進に関する法律（2008 年）

（前文）　「らい予防法」を中心とする国の隔離政策により、ハンセン病の患者であった者等が地域社会において平穏に生活することを妨げられ、身体及び財産に係る被害その他社会生活全般にわたる人権上の制限、差別等を受けたことについて、平成十三年六月、我々は悔悟と反省の念を込めて深刻に受け止め、深くお詫びするとともに、「ハンセン病療養所入所者等に対する補償金の支給等に関する法律」を制定し、その精神的苦痛の慰謝並びに名誉の回復及び福祉の増進を図り、あわせて、死没者に対する追悼の意を表することとした。同法に基づき、ハンセン病の患者であった者等の精神的苦痛に対する慰謝と補償の問題は解決しつつあり、名誉の回復及び福祉の増進等に関しても一定の施策が講ぜられているところである。しかしながら、国の隔離政策に起因してハンセン病の患者であった者等が受けた身体及び財産に係る被害その他社会生活全般にわたる被害の回復には、未解決の問題が多く残されている。とりわけ、ハンセン病の患者であった者等が、地域社会から孤立することなく、良好かつ平穏な生活を営むことができるようにするための基盤整備は喫緊の課題であり、適切な対策を講ずることが急がれており、また、ハンセン病の患者であった者等に対する偏見と差別のない社会の実現に向けて、真摯に取り組んでいかなければならない。ハンセン病の患者であった者等の家族についても、同様の未解決の問題が多く残されているため、「ハンセン病元患者家族に対する補償金の支給等に関する法律」を制定するとともに、これらの者が地域社会から孤立することなく、良好かつ平穏な生活を営むことができるようにするための基盤整備等を行い、偏見と差別のない社会の実現に真摯に取り組んでいかなければならない。

（4）　ハンセン病元患者家族に対する補償金の支給等に関する法律（2019 年）

（前文）　「らい予防法」を中心とする国の隔離政策により、ハンセン病元患者は、これまで、偏見と差別の中で多大の苦痛と苦難を強いられてきた。その精神的苦痛に対する慰謝と補償の問題の解決等を図るため、平成 13 年に「ハンセン病療養所入所者等に対する補償金の支給等に関する法律」が制定され、さらに、残された問題に対応し、その療養等の保障、福祉の増進及び名誉の回復等を図るため、平成 20 年に「ハンセン病問題の解決の促進に関する法律」が制定された。しかるに、ハンセン病元患者家族等も、偏見と差別の中で、ハンセン病元患者との間で望んでいた家族関係を形成することが困難になる等長年にわたり多大の苦痛と苦難を強いられてきたにもかかわらず、その問題の重大性が認識されず、国会及び政府においてこれに対する取組がなされてこなかった。国会及び政府は、その悲惨な事実を悔悟と反省の念を込めて深刻に受け止め、深くおわびするとともに、ハンセン病元患者家族等に対するいわれのない偏見と差別を国民と共に根絶する決意を新たにするものである。

感染の拡大を契機とした差別や偏見、とりかえしのつかない、甚大な人権侵害が生起することは、今日にあってなお、あらためて認識しているところである。人権侵害による深甚な被害が、その人の生の全てに及び、あらゆる可能性を奪いつくす事実も、少なくない。このことをふまえた、深い理解が求められている。

≪発展≫感染症でなくとも、「感染」の語を用いて相手を誹謗中傷し、差別やいじめ行為を惹起させることも、少なくない。なぜだろうか。意見交換をしてみよう。

67 韓国・台湾等の人々と日本の国内法

制定当初から日本国籍以外の人への適用を前提とする法がある。

典型的な事例として、ハンセン病訴訟熊本地裁判決の後に制定された、ハンセン病療養所入所者等に対する補償金の支給等に関する法律の適用をめぐる裁判の判決、判決後の政治的、行政的対応がある。

【資料１】 ハンセン病療養所入所者等に対する補償金の支給等に関する法律（2001年）（抜粋）

（前文）ハンセン病の患者は、これまで、偏見と差別の中で多大の苦痛と苦難を強いられてきた。我が国においては、昭和２８年制定の「らい予防法」においても引き続きハンセン病の患者に対する隔離政策がとられ、加えて、昭和３０年代に至ってハンセン病に対するそれまでの認識の誤りが明白となったにもかかわらず、なお、依然としてハンセン病に対する誤った認識が改められることなく、隔離政策の変更も行われることなく、ハンセン病の患者であった者等にいたずらに耐え難い苦痛と苦難を継続せしめるままに経過し、ようやく「らい予防法の廃止に関する法律」が施行されたのは平成八年であった。我らは、これらの悲惨な事実を悔悟と反省の念を込めて深刻に受け止め、深くおわびするとともに、ハンセン病の患者であった者等に対するいわれのない偏見を根絶する決意を新たにするものである。

第一条　この法律は、ハンセン病療養所入所者等の被った精神的苦痛を慰謝するための補償金（以下「補償金」という。）の支給に関し必要な事項を定めるとともに、ハンセン病の患者であった者等の名誉の回復等について定めるものとする。

第二条　この法律において、「ハンセン病療養所入所者等」とは、らい予防法の廃止に関する法律（平成８年法律第２８号。以下「廃止法」という。）によりらい予防法（昭和２８年法律第２１４号）が廃止されるまでの間に、国立ハンセン病療養所（廃止法第１条の規定による廃止前のらい予防法第１１条の規定により国が設置したらい療養所をいう。）その他の厚生労働大臣が定めるハンセン病療養所（以下「国立ハンセン病療養所等」という。）に入所していた者であって、この法律の施行の日（以下「施行日」という。）において生存しているものをいう。（以下略）

補償の対象を日本国民、すなわち日本国籍を有する者と限定していない。そこで、日本の植民地下であった台湾と朝鮮半島に設置された療養所入所者から、この法の適用を求める訴えが、東京地方裁判所に提起された。

【資料２】ハンセン病訴訟の経過

2001年 5月11日　ハンセン病国家賠償訴訟熊本地裁判決。
6月7日、8日　衆議院・参議院「ハンセン病問題に関する決議」。
6月22日　「ハンセン病療養所入所者等に対する補償金の支給等に関する法律」(2001年)。
2005年10月25日　韓国ハンセン病補償法訴訟東京地裁判決（原告敗訴）。
10月25日　台湾ハンセン病補償法訴訟東京地裁判決（原告勝訴）。
11月8日 政府として台湾ハンセン病補償法訴訟については控訴し、国外の療養所の元入所者への対応について検討する旨の厚生労働大臣談話を発表。

2005年10月25日判決は、同じ裁判所で、同じ内容の訴訟で、同じ植民地支配を受け、総督府に設置・管理された施設の入所者でありながら、判断が分かれた。問題は、第二条にあるように、らい予防法（1953年）下の被害、「国立ハンセン病療養所に入所していた者」を対象としていたことによる。

戦前の日本国家による設置でなかったとしても、日本の植民地下にあり、天皇が勅令で任命していた総督により支配されていた地域が、対象とならないのでは、道理が通らない。

結果的に、2006年、国会で法改正が行われ、国外の療養所に入所していた人々も、補償の対象とされ[1]、ハンセン病家族国家賠償請求訴訟判決（2019年6月28日）をふまえて制定された補償金制度でも、「台湾、朝鮮等の本邦以外の地域」が含まれている。[2]

【資料3】厚生労働省「ハンセン病元患者の御家族の皆様へのお知らせ～補償金の支給制度について～」（抜粋）
2019年11月15日に、「ハンセン病元患者家族に対する補償金の支給等に関する法律」が成立し、同年11月22日に公布・施行され，補償金の支給申請が始まりました。請求期限は、2019年）11月22日（法律の施行日）から5年以内（2024年11月21日まで）です。 ハンセン病対象者 ※1　ハンセン病療養所への入所歴の有無やハンセン病が治癒した時期は問いません。ただし、台湾、朝鮮等の本邦以外の地域に居住しており、日本に居住したことのない場合には、昭和20年（1945年）8月15日までにハンセン病を発病した方に限ります。 ※2　昭和20年（1945年）8月15日までの台湾、朝鮮等の本邦以外の地域を含みます。 ※3　ハンセン病歴のある方のハンセン病の発病（発病時にハンセン病歴がある方が国内等に居住していなかった場合は、当該者が国内等に住所を有するに至った時）から平成8年（1996年）3月31日まで（台湾、朝鮮等の本邦以外の地域に居住しており、日本に居住したことのない場合には、昭和20年（1945年）8月15日まで）の間に当該ハンセン病歴のある方とア～キの関係にあったことがあり、当該関係があった期間に国内等居住歴（※2）がある方が対象です。 ア　配偶者　イ　親、子　ウ　1親等の姻族等であって、ハンセン病歴のある方と同居していた方　エ　兄弟姉妹、オ　祖父母・孫であって、ハンセン病歴のある方と同居していた方、カ　2親等の姻族等であって、ハンセン病歴のある方と同居していた方、キ　曾祖父母・ひ孫・おじ・おば・おい・めいであって、ハンセン病歴のある方と同居していた方

≪発展≫資料3には「台湾、朝鮮等の本邦以外」と書かれている。台湾、朝鮮以外の地域とはどこを指すのだろうか。なぜ対象となるのだろうか。調べてみよう。

---

[1] ハンセン病療養所入所者等に対する補償金の支給等に関する法律の一部を改正する法律（2006年）。

[2] 厚生労働省ＨＰ
https://www.mhlw.go.jp/stf/seisakunitsuite/bunya/kenkou_iryou/kenkou/hansen/index.html

68 生命の質

生命や生命倫理に関わる授業実践で大切な視点とは

公民科の倫理、小中学校における総合的な学習の時間、家庭科、生活科などでは、生命や生命倫理に関わる実践が、取り組まれてきた。高校公民科の科目「倫理」を担当する教員による研究も少なくない。実践的資料集も公刊されている[1]。

生命倫理の授業を考えるとき、まずもって確認してほしい資料が、生命の質にかかわる日本の法律である。日本には、人の生命に質の差がある、優劣がある、などいう法律など無いと、思ってはいないだろうか。下記の法律にある文言を比較して、違いを探してみよう。

【資料】 国民優生法, 優生保護法, 母体保護法（条文の一部を抜粋）

母体保護法 （1996年法律第105号）	優生保護法 （1947年法律第156号）	国民優生法 （1940年法律第107号）
（目的） 第１条　この法律は，不妊手術及び人工妊娠中絶に関する事項を定めること等により，母性の生命健康を保護することを目的とする。	（目的） 第１条　この法律は，優生上の見地から不良な子孫の出生を防止するとともに，母性の生命健康を保護することを目的とする。	（目的） 第１条　本法ハ悪質ナル遺伝性疾患ノ素質ヲ有スル者ノ増加ヲ防遏スルト共ニ健全ナル素質ヲ有スル者ノ増加ヲ図リ以テ国民素質ノ向上ヲ期スルコトヲ目的トス
（不妊手術） 第３条　医師は，次の各号の一に該当する者に対して，本人の同意及び配偶者（届出をしていないが，事実上婚姻関係と同様な事情にある者を含む。以下同じ。）があるときはその同意を得て，不妊手術を行うことができる。ただし，未成年者については，この限りでない。 ①　妊娠又は分娩が，母体の生命に危険を及ぼすおそれのあるもの ②　現に数人の子を有し，か	（優生手術） 第３条第１項　医師は，左の各号の一に該当する者に対して，本人の同意並びに配偶者（届出をしないが事実上婚姻関係と同様な事情にある者を含む。）があるときはその同意を得て，優生手術を行うことができる。但し，未成年者，精神病者又は精神薄弱者については，この限りでない。 ①　本人若しくは配偶者が遺伝性精神病質，遺伝性身体疾患若しくは遺伝性奇形を有し，又は配偶者が精神病若しくは精神薄弱を有しているもの	（優生手術） 第３条　左ノ各号ノ一ニ該当スル疾患ニ罹レル者ハ其ノ子又ハ孫医学的経験上同一ノ疾患ニ罹ル虞特ニ著シキトキハ本法ニ依リ優生手術ヲ受クルコトヲ得但シ其ノ者特ニ優秀ナル素質ヲ併セ有スト認メラルルトキハ此ノ限ニ在ラズ ①　遺伝性精神病 ②　遺伝性精神薄弱 ③　強度且悪質ナル遺伝性病的性格 ④　強度且悪質ナル遺伝性身体疾患

つ，分娩ごとに，母体の健康度を著しく低下するおそれのあるもの 2　前項各号に掲げる場合には，その配偶者についても同項の規定による不妊手術を行うことができる。 3　第一項の同意は，配偶者が知れないとき又はその意思を表示することができないときは本人の同意だけで足りる。	②　本人又は配偶者の四親等以内の血族関係にある者が，遺伝性精神病，遺伝性精神薄弱，遺伝性精神病質，遺伝性身体疾患又は遺伝性畸形を有しているもの ③　本人又は配偶者が，癩疾患に罹り，且つ子孫にこれが伝染する虞れのあるもの ④　妊娠又は分娩が，母体の生命に危険を及ぼす虞れのあるもの ⑤　現に数人の子を有し，且つ，分娩ごとに，母体の健康度を著しく低下する虞れのあるもの	⑤　強度ナル遺伝性畸形 2　四親等以内ノ血族中ニ前項各号ノ一ニ該当スル疾患ニ罹レル者ヲ各自有シ又ハ有シタル者ハ相互ニ婚姻シタル場合(届出ヲ為サザルモ事実上婚姻関係ト同様ノ事情ニ在ル場合ヲ含ム)ニ於テ将来出生スベキ子医学的経験上同一ノ疾患ニ罹ル虞特ニ著シキトキ亦前項ニ同ジ

国民優生法は、制定時期と名称からもわかるように、優生思想をもとに生命の質を規定し、権力による国民の人権を合法的に制限したものである。

戦前だけではない。戦後においても、優生の名称とその語は，日本国憲法下の国会審議をもって、再び用いられ続けた。法の名称とともに「優生」の語が削除されたのは、戦後50年を経た1996(平成8)年である。

人の生命を、質をもって区別し、差別する考え方は、ハンセン病訴訟熊本地裁判決（2001年5月11日）においても、問題として指摘された。感染症という、治癒すれば他に感染する恐れのない疾病が、なぜ、「人の質」をもって区別され、差別をうけることになったのか。国や行政は、なぜこのような差別や偏見を放置し、放置するだけでなく助長したのかを考えてみてほしい。

小学校や中学校では、生命の尊さに気付かせようとする目的をもって、生命の尊重や生命倫理に関わる授業が取り組まれている。教育実践としての意義も少なくない。それだけに、教材開発や授業開発、授業実践に際し、少なくとも教員側は、人が、人の生命の質を規定し、区別し、差別した歴史をふまえ、検討しておくことが必要である。

≪発展≫生命倫理の授業を提案し、授業者として留意すべき点を整理してみよう。

---

[1] 生命倫理教育研究協議会『テーマ30生命倫理』教育出版、2000年、小泉博明・井上兼生ほか『テーマで読み解く　生命倫理』教育出版、2016年。

69 事例から学ぶ憲法の条文

経済的自由と憲法を結び付ける判決の論理とは

ハンセン病訴訟熊本地裁判決[1]（2001年5月11日）は、数十年に及ぶ強制隔離、生涯をとおして受けた差別や偏見、深甚な人権侵害について、国と国会の過失を問うた、国家賠償請求訴訟の地裁判決（確定）である。

本判決では、国と国会は、憲法が保障するどのような権利を侵害したのか、一つ一つ具体的な被害事実をあげて、判断を下している。

「憲法の教科書」ともいえる判決文である。

【資料】裁判所の判断（「らい予防法」の評価」及び「共通損害」より抜粋）
（1）日本国憲法の第22条1項は、「何人も、公共の福祉に反しない限り、（　A　）の自由を有する」と規定している。「（　A　）の自由」は経済的自由の一つであるとともに、「奴隷的拘束等の禁止」を定めた憲法第18条よりも広い意味での「人身の自由」の側面を持つ。自己の選択するところに従って社会の様々な事物に触れ、人と接し、コミュニケートすることは、人が人として生存する上で決定的重要性を有することで、「（　A　）の自由」は、これに不可欠である。「らい予防法」は、伝染させるおそれがある患者の「隔離」を規定しているが、いうまでもなく、この「（　A　）の自由」を制限するものである。
（2）　原告の被害は極めて深刻だが、これまでに例を見ない極めて特殊で大規模な損害賠償請求訴訟で、被害は、短い者でも昭和48年から「らい予防法」廃止ころまでの23年間という長期間にわたる。内容も、「身体」「財産」「（　B　）」「信用」「（　C　）関係」など、社会生活全般におよぶから、一つ一つに立証を求めたのでは訴訟が大きく遅れ、真の権利救済は望めないから、原告が主張する被害から一定の「共通性」を見いだせるものを包括して賠償対象とする。
（3）　国は、少なくとも、昭和30年代以前は、退所を念頭に置かないで患者を隔離していた。患者はいったん入所すると、家族や社会と切り離され、療養所外の生活基盤を失い、退所することがひどく困難な状況に置かれ、多くの入所者が療養所を生涯のすみかとして暮らさざるを得ず、現実に、入所者の大半が退所することなく生涯を療養所で過ごしているのだから、「国立らい療養所」と「一般の国立療養所」を同じに見る国の主張はおかしい。昭和30年代まで、（　D　）手術を受けることを夫婦舎への入居の条件としていた療養所があったことは事実上（　D　）手術を強制する非人道的取扱いというほかない。
（4）原告は、本件の「共通損害」を「社会の中で（　E　）に生活する権利」と表現する。このうち、「財産的損害」は一定の共通性を見ることは難しく、「断種」「堕胎」「治療機会の喪失」「患者作業による後遺症の発生」などの身体的損害も、原告による差が著しいために、「共通損害」の対象にはできない。原告が「社会の中で（　E　）に生活する権利」の主要なものとする「隔離による被害」は、入所時期と入所期間に大きな差があるものの、時期を特定すれば一定の共通性を見ることができる。
（5）ハンセン病患者の隔離は、ふつう、きわめて長期間にわたるが、たとえ数年程度に終わる場

合でも、その患者の人生に決定的に重大な影響を与える。ある者は学業の中断を余儀なくされ、ある者は職を失い、あるいは思いえがいていた職業につく機会を奪われ、ある者は、結婚し、家庭を築き、（　F　）機会を失い、（　C　）との触れ合いの中で人生を送ることを著しく制限される。人として当然に持っているはずの「人生のありとあらゆる発展可能性)」が大きく損なわれ、その人権の制限は、人としての社会生活のすべてにわたる。このような人権制限の実態は、単に「（　A　）の自由」の制限というだけでは正しく評価できず、より広く憲法13条から導かれる（　G　）権に対するものと理解するのが妥当である。

直接お話を聴かせていただく機会を得ることは、難しいかもしれない。だが、ハンセン病体験者の方の記録を読むことは、できるだろう。

まずは、この歴史的な判決が、人権侵害と憲法の関係をどのように説明しているのか、確認しておきたい。

（1）の（　A　）には同じ言葉が入る。普段はあたりまえのように思っている権利である。何だろうか？

（2）では、意に反して、不合理に社会から切り離された原告たちが失ったもの、侵害された権利、権益、（　B　）は何だろうか。

（　C　）は、資料5にも記載されている。

（3）に出てくる（　D　）は、（4）とあわせて考えてほしい。

（　D　）のような考え方の歴史的なルーツ、背景についても、考えてほしい。

（4）の（　E　）と（5）の（　F　）は、やわらかい言葉でありながら、重い意味を持つ文言が入る。

（　E　）は2文字、（　F　）は9文字である。

原告の方々は、何を侵害されたのだと、訴えたのだろうか。

（5）では、被害事実を具体的にあげたあとで、いま一度（　A　）をあげ、「（　A　）の自由」という言葉では不十分、（　G　）の侵害とみなされるべきだと結論づけている。憲法18条から始めた説明が、憲法13条にたどり着いたのである。

さて、（　G　）の語は何だろうか？[2]

≪発展≫資料の（　　）内に入る文言を推測し、判決書中にある原告の被害の箇所で確認してみよう。

≪参考≫梅野正信・采女博文『実践ハンセン病の授業』、エイデル研究所、2002年。

---

[1] 熊本地裁平成13年5月11日判決。

[2] A:居住・移転　B:名誉　C:家族　D:優生　E:平穏　F:子どもを産み育てる　G:人格。

70 被爆者と国籍

国籍条項を越える条件とは

日本国憲法は、基本的人権を保障する日本の基本法である。資料1は、第11条から14条までの条文である。

【資料1】日本国憲法の人権条項

第11条　国民は、すべての基本的人権の享有を妨げられない。この憲法が国民に保障する基本的人権は、侵すことのできない永久の権利として、現在及び将来の国民に与へられる。

第12条　この憲法が国民に保障する自由及び権利は、国民の不断の努力によつて、これを保持しなければならない。又、国民は、これを濫用してはならないのであつて、常に公共の福祉のためにこれを利用する責任を負ふ。

第13条　すべて国民は、個人として尊重される。生命、自由及び幸福追求に対する国民の権利については、公共の福祉に反しない限り、立法その他の国政の上で、最大の尊重を必要とする。

第14条　すべて国民は、法の下に平等であつて、人種、信条、性別、社会的身分又は門地により、政治的、経済的又は社会的関係において、差別されない。

条文が、「国民は」「国民に」と記されていることに、気づかれたことだろう。国籍法(1950年)は、日本国民を「日本国籍を所有する者」と定める。日本に在住する外国籍（台湾、韓国等の国籍を有する特別永住者を含む）の方は、人権を保障されないのだろうか?

外国籍の方も、日本国内に居る限りは、一定の条件のもとで、日本の法に基づく保護と保障を得ることができる。そうでなれば、安心して日本へ観光に来たり、留学したり、住み続けることはできない。

【資料2】原子爆弾被爆者に対する援護に関する法律（被爆者援護法）(1994年)

（前文）　昭和20年8月、広島市及び長崎市に投下された原子爆弾という比類のない破壊兵器は、幾多の尊い生命を一瞬にして奪ったのみならず、たとえ一命をとりとめた被爆者にも、生涯いやすことのできない傷跡と後遺症を残し、不安の中での生活をもたらした。このような原子爆弾の放射能に起因する健康被害に苦しむ被爆者の健康の保持及び増進並びに福祉を図るため、原子爆弾被爆者の医療等に関する法律及び原子爆弾被爆者に対する特別措置に関する法律を制定し、医療の給付、医療特別手当等の支給をはじめとする各般の施策を講じてきた。また、我らは、再びこのような惨禍が繰り返されることがないようにとの固い決意の下、世界唯一の原子爆弾の被爆国として、核兵器の究極的廃絶と世界の恒久平和の確立を全世界に訴え続けてきた。ここに、被爆後五十年のときを迎えるに当たり、我らは、核兵器の究極的廃絶に向けての決意を新たにし、原子爆弾の惨禍が繰り返されることのないよう、恒久の平和を念願するとともに、国の責任において、原子爆弾の投下の結果として生じた放射能に起因する健康被害が他の戦争被害とは異なる特殊の被害であることにかんがみ、高齢化の進行している被爆者に対する保健、医療及び福祉にわたる総合的な援護対策を講じ、あわせて、国として原子爆弾による死没者の尊い犠牲を銘記するため、この法律を制定する。

第一条 この法律において、「被爆者」とは、次の各号のいずれかに該当する者であって、被爆者健康手帳の交付を受けたものをいう。

一 原子爆弾が投下された際当時の広島市若しくは長崎市の区域内又は政令で定めるこれらに隣接する区域内にあった者

二 原子爆弾が投下された時から起算して政令で定める期間内に前号に規定する区域のうちで政令で定める区域内に在った者

三 前二号に掲げる者のほか、原子爆弾が投下された際又はその後において、身体に原子爆弾の放射能の影響を受けるような事情の下にあった者

四 前三号に掲げる者が当該各号に規定する事由に該当した当時その者の胎児であった者

資料2は、「国民」に限定せず適用することを当然とした法律である。「国民」という言葉は見当たらないことに、気づいたことだろう。

資料3は、国籍条項が裁判の争点になった事例である。

【資料3】国籍条項をとりあげた判決例

（1） 最高裁昭和53年3月30日判決

同法が被爆者の置かれている特別な健康状態に着目してこれを救済する人道的目的の立法であり、被爆者で国内に現在する者である限りは、理由等のいかんを問うことなく、広く救済をはかることが、国家補償の趣旨にも適合する。（中略）被爆当時は日本国籍を有し、戦後平和条約の発効によって自己の意思にかかわりなく日本国籍を喪失した事情をも勘案すれば、国家的道義のうえからも首肯されるところである。

（2） 大阪高裁平成14年12月5日判決

被爆者援護法の複合的な性格、とりわけ、同法が被爆者が被った特殊の被害にかんがみ、一定の要件を満たせば、被爆者の国籍も資力も問うことなく、一律に援護を講じるという人道的目的の立法であることにも照らすならば、その社会保障的性質のゆえをもって、わが国に居住も現在もしていない者への適用を当然に排除するという解釈を導くことは困難である。

大阪高裁判決の原告は、韓国併合下の朝鮮で生まれ、1944年の朝鮮人徴兵令により日本陸軍の召集令状を受けて、日本在住時、1945年8月6日に被爆した。被爆者援護の法律にもとづき、被爆者健康手帳の交付を受け、健康管理手当の支給を受けていたが、日本を出国したことを理由に、支給を打ち切られたのである。原告は、知事、府に対しては健康管理手当受給権者としての地位と健康管理手当の支払等を、国に対しては、「被爆者」であることの確認を求めて、裁判に訴えた。高裁判決は、「被爆者」たる地位を認め、支払請求を認容した。「被爆者はどこにいても被爆者である」と宣言した判決として知られる。

≪発展≫人道的趣旨から、日本国籍を持たないものにも当然に適用されるような法や事例を調べてみよう。

71　人権感覚をもって読み解く

人権感覚をもって同時代の作品を読み直してみる。

歴史的資料や現代的課題に関係する資料は、行政文書等をはじめ、さまざまな形で残されている。このような資料の中から、人権感覚をもって見直してみると、その中に、いのちや人としての尊厳の危機にある人々の姿、思いを見出すことができる。

歴史の教材としては、古代では万葉集などから、近代でも、たとえば「小早川 加藤 小西が 世にあらば　今宵の月を いかに見るらむ」(寺内正毅)と、「地図の上 朝鮮国に くろぐろと 墨を塗りつつ 秋風を聴く」(石川啄木)が、並べ置かれ、歴史的事実の異なる面を象徴する歌として紹介されている。

公民的な領域や、社会的課題に関わる歌からは、人権を侵害され、あるいは苦しい思いを歌に込めた作品が、少なくない。そのような短歌が掲載された書籍を紹介したのが、資料である。

【資料】同時代の社会的課題にかかわり詠まれた作品(短歌)

1．『昭和万葉集』講談社、1980年。

昭和初年から戦前、戦中、敗戦、占領期、高度経済成長期を経て昭和50年まで、時期ごとに、主要な短歌雑誌に掲載された歌が収められている。

昭和初年の農村不況期を詠んだ歌である。

《うられゆきし吾が教へ子の描きたる絵をば見つつし悲しかりける》

(丸野不二男:「ぬはり」3-1/巻1)

《たった一年の作はづれでも一九年育て上げたる娘売るのか》

(中村孝助:合同歌集『現代口語歌集』3/巻1)

ハンセン病療養所に入所していた人々の歌も、各巻に「ハンセン氏病」のタイトルのもとに収められている。

《癩院の納骨堂に父をかこみし親子五人の遺骨がありぬ》(深川徹「アララギ」/巻10)

《われを待つ 妻と子あれば ひたぶるに 病む身励まし プロミンを射つ》

(松永稔:アララギ・巻11)

《韓国にともに帰らむと兄言へど癩病む吾は遂にもだしぬ》(金夏日:「盲導鈴」巻12)など、ハンセン病の強制隔離政策の中で人生と人権を制約されて生きる人々の思いがつづられている。

2．近藤芳美『無名者の歌』岩波書店、1993年。

近藤芳美(1913～2006年)は、日本を代表する歌人(アララギ同人)であり、長年にわたり「朝日歌壇」の選者(1955～2005年)を務めた。本書は、朝日歌壇から近藤が選んだ歌が収められている。

《戦争の話をせがむ児等のかげひとみ伏せており混血児マリ》(矢島ひさ子)

《夜学やめよと言わるるを恐れすがりたきこころに耐えて一人血を吐く》(石塚義夫)、

《石油も砂糖も紙も何無くとも夫は召さるる事の無き今》(河上喜久子)

など、それぞれの時代を思い起こす歌がみえる。
3．孤蓬万里『台湾万葉集』集英社、1994年。
戦前期、日本の植民地下にあった台湾では、いまも短歌を詠む人々がいる。『台湾万葉集』には、戦前期の日本を詠んだ歌も収められている。
《愚かにも大東亜共栄圏の夢信じ祖国救うと「特幹」志願す》
《知覧の野星に告げたり「ひとりして星の瞬きく夜に死にたし」と》（蕭翔文）
など、戦時中の記憶に思いを及ぼす歌も含まれている。
4．大岡信『北米万葉集』集英社、1999年。
副題に「日系人たちの望郷の歌」とある。大統領署名行政命令第9066号により、日系人が多かった西海岸からの立ち退きが命じられたのは、開戦の翌春、1942年3月であった。彼らが送られたのは、マンザナ、ツールレーキなどの集会所と銘打った強制収容所であった。
《にはとりを鶏屋に追ひ込む姿勢にて銃口向けられ獄門くぐる》（中野雨情：歌集『宣誓』）
《わが子らを吾は捧げむ日米の国と国とのくさびとなして》（飯野たか子：格州時事）
多くの苦難を乗り越え、異国で生活を得た人々が、戦争によってすべてを失い、収容所に送られた。アメリカ合衆国が、強制収容所に送致、隔離された日系アメリカ人に対して公式に謝罪したのは、1988年のことである。

昭和初期の農村恐慌期に使われた「うられゆきし吾が教へ子」、「娘売るのか」という言葉の意味、ハンセン病療養所の「納骨堂」にある「親子五人の遺骨」、戦後、韓国に帰ろうにも帰れないでいる入所者の「吾は遂にもだしぬ」という言葉が意味するもの、戦後、教室で一人下を向いている「混血児マリ」の姿や、病の中で、それでも、なんとしても夜学を終えたい、「一人血を吐く」若者の姿、そして、特別幹部候補生に志願した台湾の青年が、鹿児島の「知覧の野」で、星に告げる言葉。これらの語から、どのような情景と光景、背後にある社会的課題を思い浮かべるだろうか。

思いうかべる力、想像力は、読む側に求められる。それは、単に空想する力ではなく、あくまでも事実に基づき、詠み人の思いに近づき、想像することのできる資質・能力である。概説的知識とともに、その時代を生きた人の感性と言葉に触れることで、社会的課題に関わる理解を深めることも大切である。

≪発展≫新聞を開くと、短歌や俳句の欄、投稿の欄に読者の言葉が掲載されている。また、図書館等において、社会的課題に関わる時期の過去の新聞等を検索することもできる。社会的課題について、背景となる事実を確認するとともに、人権感覚をもって、人々の声に耳を傾けてみよう。

≪参考文献≫梅野正信『社会科はどんな子どもを育ててきたか』明治図書、1996年。

72 Take a step forward（一歩前へすすめ）

Compass（Council of Europe）のアクティビティを活用する。

ヨーロッパ評議会（Council of Europe / 外務省は「欧州評議会」と表記）は、「人権、民主主義、法の支配の分野で国際社会の基準策定を主導する汎欧州の国際機関」（外務省）[1]として、1949年に設立された。

現在は、ＥＵ加盟国をはじめ47か国で構成し、日本は、米、カナダ、メキシコ、教皇庁とともにオブザーバー国として参加している。各加盟国１名の代表からなる欧州人権裁判所、条約モニタリング機関等を通じた人権保護を重要な役割とする機関である。

公式サイト[2]には、人権教育に関する資料や教材等も提供されている。教育委員会の人権教育資料等にも参照されてきた、参加体験型教材集青少年用人権教育ガイドブック「コンパス/ *Compass*[3]」と、同じく子ども用「コンパシート/ *Compasito*[4]」は、全文を閲覧できるので、確認しておきたい。

資料１は、日本でも人権教育資料や人権教育の研修等で用いられてきた、Take a step forward の一部を暫定的に訳したものである。人権は、理念や理論の理解とともに、個々の行動・行為の制約に及ぶ事例として学ばれることが、大切である。Take a step forwardは、その意味でも、自身と多様な他者理解につながるアクティビティといえる。参加者には横一列に並んでもらい、役割カード（Role cards）を参加者に渡す。ファシリテータがゆっくりとリスト（Situations and events）を読み上げる。可能である事柄があれば、一歩ずつ歩を前に進めていく。

【資料】 *Compass*（284～285頁）
Ⅰ　参加者に渡す役割カード（Role cards）を一部抜粋と要約したキーワード 「失業中のシングル・マザー」「政治的組織の青年指導者」「銀行支社長の娘」「大学生」 「外食産業で成功した移民」「ムスリムの少女」「先進国大使の娘」「軍人」 「成功した輸入業社のオーナー」「車椅子で移動せざるをえない青年」 「初等教育のみを受けた少数民族の少女」「HIV陽性者」「同性愛者」「大学を卒業した失業者」 「紛争国からの難民」「ホームレスの青年」「不法入国者」「辺境地に住む農家の息子」
Ⅱ　読み上げる状況と事柄（Situations and events）の一部抜粋・要旨 ・　経済的に困難な状況に直面したことなど無い。 ・　家電やＩＴがそろった快適な自宅に住んでいる。 ・　社会的に尊重された言語、宗教、文化の中で生活している。 ・　社会的政治的な事柄に対する自分の意見を大切にしてもらっている。

- 警察に呼び止められることを恐れていない。
- 出身や出自について差別を受けるように感じたことはない。
- いつでも必要な時に社会的、医療的な保護を受けることができる。
- 年に１度は休暇に出かける。
- 家庭の夕食に友人を招待することができる。
- 将来に希望を持つことができている。
- 専門性を高めるための勉学の機会を自分で選択できる状態にある。
- 路上やメディアで攻撃や嫌がらせを受けることに恐怖を感じていない。
- 参政権がある。
- 最重要の宗教的なお祭りを親族や親友たちとともに祝うことができている。
- 海外で行われる国際セミナーに参加できる。
- 週に一度は映画館や劇場に行くことができる。
- あなたの子供たちは将来に不安を感じていない。
- ３か月に１度くらいは新しい衣服を買うことができる。
- 自身の選択した人と恋愛することができる。
- 生活している社会では、自身の能力を感謝され、尊重されている。
- 検閲を恐れない状態でネットを検索している。

Take a step forward が作成されてから 10 数年がたった。国際社会の環境や状況も大きく変化し、欧州と日本の置かれた状況の違いもある。

現在であれば、また、みなさん自身であれば、人権の制約を受けている多様な人々に気づき、考えるための「役割カード」と「状況と事柄リスト」は、どのような文例が考えられるだろうか。

≪発展≫日本の学校教育等で取り組むことを想定して、役割カードと状況リストを作成し、実演してみよう。

≪参考文献≫ ヨーロッパ評議会・福田弘訳『人権教育のためのコンパス［羅針盤］学校教育・生涯学習で使える総合マニュアル』明石書店、2006 年。
ヨーロッパ評議会・福田 弘訳『コンパシート【羅針盤】子どもを対象とする人権教育総合マニュアル』人権教育啓発推進センター、2009 年。

---

[1] https://www.mofa.go.jp/mofaj/area/ce/index.html
[2] https://www.coe.int/en/web/portal/home
[3] *Compass Manual for human rights education with young people* 2012 edition . fully revised and updated Council of Europe
[4] *Compasito Manual on human rights education for children* Council of Europe

73 レジリエンスを高める「対立」の学習

攻撃的・意図的人権侵害に対抗する力

攻撃的言辞を体験したことは、ないだろうか。

国際問題、社会的課題、地域や学校、身近な諍いに至るまで、好むと好まざるとにかかわらず、意に反し、対立的な場面に直面し、当事者となってしまうことがある。自身の人格や尊厳、あるいは社会的弱者、マイノリティ、被害者の受けた人権侵害を放置されてしまうことも、少なくない。

決定的で深刻な結果を引き起こさないために、普段からアサーティブ(assertive)なコミュニケーションを心がけることが、大切である。とはいえ、悪意ある意図的攻撃に晒されてしまった場合などには、優しい言葉かけだけでは、容易に立ち直れない。

論理的整合性、合理的正当性を持たない言辞とわかってはいても、理不尽で不合理な攻撃に精神的ダメージを受け、身体的被害に発展することさえある。

深刻な人権侵害、壊滅的ダメージから自らを立て直してゆく、より実効的な資質や能力(レジリエンス:resilience)を身に着けるには、まずもって、実際に自身が受けるダメージをあらかじめ熟知しておくことが、必要である。

自身に向けられる(かもしれない)攻撃的な言動のパターンや根拠を事前に体験し、自身に可能な、最適の立て直しのプロセスを普段から身に着けておくのである。意図的で悪意ある対立を事前に体験し、熟知しておくことは、理性的で建設的な対話の前提としても、大切である。

日本の教育委員会資料においても、対立を再現し、ロールプレイによる疑似体験を通して、対立的議論の構造を学習するプログラムが、紹介されている。下記は京都府と大阪府の資料からの抜粋である。また、左端は、これらの資料が参考にしている、アメリカの教育学者、クラウドラー[1]の研究からの引用である。

動機や理由は多様であっても、ダメージを意図する言動は似通っている。クラウドラーは、意図的な悪意ある攻撃的対話の特徴として、5点をあげた。日本では、各教育委員会等による工夫や修正がなされている。

【資料1】対立を激化させる会話の要素

クラウドラー『対立から学ぼう』37頁	京都府教育委員会『人権学習資料集《高等学校編》』36頁	『大阪府人権ABC』105頁
・圧倒する ・むかしの対立をむし返す	・決めつけ ・過剰な一般化	・決めつけ ・一般化する

・一般化する ・やりかえす ・こんなことに構っていられないんだ	・矮小化 ・無視 ・突き放し ・過去の蒸し返し	・圧倒する ・やりかえす ・むし返す ・無視・突き放す ・問題をそらす ・忠告する

悪意ある言辞、人権侵害から自身を守るために、そして人権侵害を被っている目の前の他者を擁護し、救済するためにも、普段から理不尽な攻撃的言辞を体験しておき、余裕をもって効果的な対応ができる自分に適した術を身につけておこう。

【資料２】例文（『対立から学ぼう』38 頁を参考に筆者作成）
・なんで貸してあげた本がこんなに汚れているの。 ・前にも貸してあげた本を汚したことがあったね。いつもだよね。 ・あなたは自分のことしか考えていないのよね。 ・こんなことするなんて。誰もが友達になりたくないと言っている理由がわかったよ。 ・私の言うことの、どこが間違っているかな。全部事実じゃないか。それに対してあなたが指摘することは、みなささいなことだよ。 ・あなたの言い訳なんか聞いている時間はないよ。 ・あなたは、私との約束を守ったためしがないよ。 ・怒るとそんな言葉を使うように育てられてきたのだろうね。 ・もしあなたがこんなことしなければ、なんの問題も起きなかったはずだよ。 ・そういえば、いつもあなたのために、班活動の作業が遅いよね。みんなに迷惑をかけている自覚をもってくれないかなあ。 ・そんなどうでもいいことで、私に問題があるように言うなんて信じられない。

① 二人で役割を分担して話してみよう（一人は上の文章、あと一人はアドリブで言い訳をする）
② どの言葉に最もダメージを受けたかを発表し合おう。
③ どのパターンに該当するかを話し合おう。
④ ダメージから自身を守り、立ち直るには、どうしたら良いかを考え、発表しよう。
⑤ 攻撃的言辞を受けている人に遭遇したらどうするか、意見交換しよう。

≪発展≫オリジナルな例文と体験マニュアルを作成して、実際に２人１組になって実演してみよう。

---

[1] ウィリアム・クラウドラー『対立から学ぼう』ERIC 国債理解教育センター、1997 年。ウィリアム・クレイドラー&セラー・リサ・ファーロン『対立が力に』C.S.L. 学習評価研究所、2001 年。

74 多様性への気づき「ランキング」

優先順位と多様性　どのように使い分けるか。

ランキングは、各自の判断と優先順位を軸にした学習活動であるが、限られた条件の下で、最適の解決方法を選択する政策決定型ランキング、多様で異なる価値観の尊重を目的とする多様性共有型ランキングにわけられる。

資料１には、多様性共有型ランキングの例として、教育委員会による人権教育資料集等[1]に掲載されたランキングの選択肢をあげる。（読み易くするため一部修正）

【資料１】ランキング型アクティビティの例

自分が高齢者になったとき	権利の熱気球	東日本大震災を通して人権を考える
A　仕事（収入手段）をいつまでも続けたい。 B　いつまでも自分の家族といっしょに暮らしたい。 C　病気になったら最良の治療を受けたい。 D　社会の一員として、地域社会の役に立ちたい。 E　いつまでも学び続けたい。 F　自分の尊厳を守り、周囲から大切にされたい。 G　身体に障がいのある状態になったら周囲の援助が欲しい。 H　安全に住める場所を確保したい。 I　犯罪に巻き込まれないための話し相手が常に欲しい。	1　食べ物ときれいな水を得る権利 2　毎年旅行を楽しむ権利 3　安全な家に住む権利 4　就きたい職業を選べる権利 5　きれいな空気を吸う権利 6　自分の考えを聞いてもらえる権利 7　暴言を言われたり、暴力を受けたりしない権利 8　遊ぶ時間を得る権利 9　人を愛し人から愛される権利 10　住みたい所に住む権利	生命 安全 飲料水・食べ物 情報 歯磨き・入浴 プライバシー 住宅 仕事 人としての尊厳

左列は、「高齢者のための国連宣言」(1991) をもとに作成されたランキングである。どのような国、地域、どのような境遇にあっても、高齢者として、このような環境にありたいとの願いが込められている。

【資料２】「高齢者のための国連原則」（1991 年 12 月国連総会[2]）

自立（independence）　高齢者は
- 収入や家族・共同体の支援及び自助努力を通じて十分な食料、水、住居、衣服、医療へのアクセスを得るべきである。
- 仕事、あるいは他の収入手段を得る機会を有するべきである。
- 退職時期の決定への参加が可能であるべきである。

・適切な教育や職業訓練に参加する機会が与えられるべきである。
・安全な環境に住むことができるべきである。

参加（participation）　高齢者は

・社会の一員として、自己に直接影響を及ぼすような政策の決定に積極的に参加し、若年世代と自己の経験と知識を分かち合うべきである。
・自己の趣味と能力に合致したボランティアとして共同体へ奉仕する機会を求めることができるべきである。
・高齢者の集会や運動を組織することができるべきである。

ケア（care）　高齢者は

・家族及び共同体の介護と保護を享受できるべきである。
・発病を防止あるいは延期し、肉体・精神の最適な状態でいられるための医療を受ける機会が与えられるべきである。
・自主性、保護及び介護を発展させるための社会的及び法律的サービスへのアクセスを得るべきである。
・思いやりがあり、かつ、安全な環境で、保護、リハビリテーション、そして、社会的関わりが持てる施設を利用することができるべきである。
・いかなる場所に住み、あるいはいかなる状態であろうとも、自己の尊厳、信念、要求、プライバシー及び、自己の介護と生活の質を決定する権利に対する尊重を含む基本的人権や自由を享受することができるべきである。

自己実現（self-fulfilment）　高齢者は

・自己の可能性を発展させる機会を追及できるべきである。
・社会の教育的・文化的・精神的・娯楽的資源を利用することができるべきである。

尊厳（dignity）　高齢者は

・尊厳及び保障を持って、肉体的、精神的虐待のない生活を送ることができるべきである。
・年齢、性別、人種、民族的背景、障害等に関わらず公平に扱われ、自己の経済的貢献に関わらず尊重されるべきである。

すべての国の高齢者が、たとえ日本でも、これらの全てを手にして、高齢者としての人生を全うすることは、容易では無いようにみえる。では、「これだけは」得たいと思うものは、選択肢の内のどれだろうか。

このように、多様性共有型ランキングは、最善の唯一を決定するための議論を求めるものではない。自身と他者が多様に持ち、個々に、人としての尊厳を支えてきた思いや価値を、互いに確認し合うランキングといえる。

≪発展≫背景となる社会的課題の事実、資料をもとに、政策決定型ランキング、多様性確認型ランキングをつくって、模擬授業をしてみよう。

---

[1] 「自分が高齢者になったとき」：『人権感覚育成プログラム（社会教育編）』埼玉県教育委員会、2009年。「権利の熱気球」：『人権教育ハンドブック中学校・高等学校編』宮崎県教育委員会、2009年。「東日本大震災を通して人権を考える」：『人権教育プログラム（学校教育編）』東京都教育委員会、平成24年度版。

[2] 内閣府訳。決議文は各国政府が自国の政策プログラムに組み入れるよう要請している。

75 日本映画で深める同時代認識

映画や映像を授業に活用する際に留意すべき視点とは

「事実をもとにした作品である」と字幕があがり、実際の社会的事象や事実、事件をもとに作成された作品であったとしても、映画は、ドキュメントではない。事実や事件に対する一つの、あるいは複数の視点を提供する映像である。

たとえドキュメント・フィルムであっても、同様である。事実の一片を偶然に、あるいは意図的に切りとった映像と考えておかなければならない。

少なくとも社会系科目においては、事実にかかわる検証、史料批判を抜きにして、映し出された映像を事実あるいは史実として説明することは、控えるべきだろう。

そのうえで、作品や映像を、事実や史実を相対化し、比較する素材と位置付けるのであれば、深い学び、探究的学習の契機として、活用することができる。

下記は、戦前戦後の時代とともに、学校、教師、子どもの姿を描いた日本映画である。ご覧になった作品が、あるだろうか。

【資料】同時代の歴史や時代をとりあげた日本映画

作品名	映画の舞台	時代背景
サンダカン八番娼館　望郷（1974）	底辺女性史研究とからゆきさん	おサキがサンダカンで働く（1907） 山崎朋子『サンダカン八番娼館-底辺女性史序章』（1972）
綴方教室（1938）	恐慌下東京の小学生	豊田正子『綴方教室』（1937） 東北6県娘の身売5万2444人（1934）
小島の春（1938）	戦前期のハンセン病と家族	小川正子が長島愛生園に赴任（1934） 小川正子『小島の春』（1938）
海軍（1943）	旧制中学校の軍人志望熱	国際連盟脱退（1933）、真珠湾攻撃（1941） 岩田豊雄「海軍」（朝日新聞1942）
戦争と人間（1970）	昭和前期の青少年	三・一五事件（1928）、ノモンハン事件（1939）、満州第731部隊（1940） 五味川純平『戦争と人間』（1965-1982）
北辰斜めにさすところ（2007）	旧制高校	学徒出陣（1943） 室積光『記念試合』（2007）
ひめゆりの塔（1995）	沖縄戦と学徒隊	対馬丸事件（1944）、沖縄戦（1945） 仲宗根政善『ひめゆりの塔をめぐる人々の手記』（1982）
夏服の少女たち（1988）	広島原爆と被曝した女学生	原爆投下・被爆（1945） 大野允子『夏服の少女たちーヒロシマ・昭

		和20年8月6日－』(1989)
青い山脈（1949）	敗戦直後の女学校	石坂洋次郎「青い山脈」（朝日新聞 1947）／「山のかなたに」（読売新聞 1948） 新制高校発足（1948）※1947年度旧制中学５年は旧制中学卒業か新制高校３年生編入を選択
山のかなたに(1950)	敗戦後の中学校	
あつい壁（1970）	ハンセン病療養所入所者の子どもたち	龍田寮児童通学拒否事件(1954)
夕凪の街桜の国(2007)	広島の爆心地基町に住む人々。	大田洋子『夕凪の街と人と』(1955) 原爆医療法(1957) 被爆者援護法（1994） こうの史代『夕凪の街桜の国』(2004)
キューポラのある街（1962）	川口市の中学生	東京オリンピック（1964） 1960年高校進学率57.7%(文部省)
日本一の若大将(1962)	都心の大学生	
せんせい（1983）	長崎原爆と二次被爆	坂口便「夾竹桃の花さくたびに」(1972)
若者たち(1967)	大学紛争期の学生	安田講堂事件（1969）
家族（1970）	石炭産業の衰退	三池炭鉱三川鉱爆発事故（1963）、大阪万国博（1970）、長崎伊王島炭鉱閉山（1972）、長崎端島炭鉱閉山（1974）、夕張北炭事故（1981）

公民科の授業や学校の課題を考える講義などで、取り扱いたい作品、紹介したい作品を考えるときは、どのような視点に留意する必要があるだろうか。

以下の例示を読んで、他にも注意しておく点がないか、考えてみよう。

① 映画や映像は、たとえドキュメンタリーやノンフィクションと表記された作品であっても、脚本や監督による脚色の意図を批判的に確認する。

② 映画や映像による印象操作の影響を受ける可能性があることを、意識しておく。

③ 映画や映像をもとに、描かれた時代や主題に関する史料や資料、専門的見解や学術的成果をふまえた理解を深めること。

≪発展≫リストから映画を一つ選んで鑑賞し、関係資料を整理し、授業案を作成してみよう。また、社会的課題を主題とする映画や映像を探して、授業の中で活用する計画をたててみよう。

≪参考文献≫ 梅野正信『日本映画に学ぶ教育・社会・いのち』エイデル研究所、2005年。
下川耿史『近代子ども史年表　昭和・平成編』河出書房新社、2002年。

76 映画で深める同時代史

作品に描かれる「封印された歴史」とは

日本で見聞きできる、バラエティ色のほどこされた報道番組からは、むき出しの「権力」の姿をイメージしたり、実感を持つことは難しい。だが、同時代を歴史として見直したとき、国家による強大かつ強力な権力の発動により、誰もが周知し、被害者を知りながら、なお口外されることなく、封印され続けた時期、時代の存在に気づかされる。

資料は、第二次世界大戦、東西冷戦の終結や、国家や政治体制の崩壊など、歴史の転換点を経て、封印が解かれ、公表を許された事実や事件を取り上げ、主題とした作品の一部である。[1]

【資料】 同時代をえがいた作品

作品名	作品に描かれた事実・事件
カティンの森 (2007 ポーランド)	ソ連のポーランド侵攻(1939) カティンの森虐殺事件(1940) ゴルバチョフ大統領がソ連の責任を認め謝罪(1990)
黄色い星の子供たち (2010 フランス)	ヴィシー政権(1940-1944) パリでユダヤ人一斉検挙(ヴェル・ディブ事件 1942) シラク大統領が国家としての責任を認め謝罪(1995)
愛と哀しみのボレロ (1981 フランス)	ドイツのフランス侵攻(1940) マウントハウゼン収容所(1938-1945) スターリングラード攻防戦(1942-1943) パリ解放(1944)
白バラの祈り ゾフィー・ショル、最後の日々 (2005 ドイツ)	白バラ通信(1942-1943) ハンス・ショル、ゾフィー・ショルらが逮捕・処刑(1943)
悲情城市 (1989 台湾)	2.28 事件(1947) 戒厳令(1949-1987) 李登輝総統による 2.28 慰霊碑除幕(1995)
ブラザーフッド (2004 韓国)	朝鮮戦争(1950) 盧武鉉大統領・補導連盟事件の犠牲者に謝罪。
おじいさんと草原の小学校 (2010 イギリス)	マウマウ団の反乱(1953) ムワイ・キバキ大統領によるマウマウの再評価(2002) ケニア初等教育 8 制を無償化(2003) キマニ・マルゲが入学を許可される。(2004)

君の涙ドナウに流れ （2006 ハンガリー）	ハンガリー民主革命（1956） メルボルン・オリンピック（1956） チェコ二千字宣言（1968） ベルリンの壁の崩壊（1989） イムレ・ナジの名誉回復（1989）
ハンナ・アーレント （2012 ドイツ・ルクセンブルク・フランス）	アイヒマン裁判（1961） 「エルサレムのアイヒマン−悪の陳腐さについての報告−」（1963）
さらば、わが愛　覇王別姫 （1993 香港）	日本軍北京に侵攻（1937） 文化大革命（1966） 中国共産党による歴史決議（文化大革命の批判的総括）（1981）
ブラディ・サンデー （2002 イギリス）	ブラディ・サンデー事件（1972） ベルファスト合意（和平合意）（1998） キャメロン首相が事件の犠牲者に謝罪（2010）
光州５１８ （2007 韓国）	朴正煕大統領暗殺・全斗煥粛軍クーデター（1979） 光州事件（1980） 大統領直接選挙を含む民主化宣言（1987） 金泳三大統領が光州民主化運動を継承する立場を表明（1993）
フリーダム・ライターズ （2007 アメリカ）	ロスアンゼルス暴動（1992） エリン・グルーウェルがウッドロー・ウィルソン高校に赴任（1994）
ホテル・ルワンダ （2004 イギリス・イタリア・南アフリカ共和国）	ルワンダジェノサイド（1994） キガリ虐殺記念センター開館（2004）

国際社会に公知されない事実や事件、あるいは意図的に曲解された報道、共有されてきた歴史がある。戦時中と比べようもないほど膨大な情報に包まれた今日であっても、私たちは、数年、数十年を経て、見えていなかった歴史に気付かされる。これらの事実や事件は、なにゆえに、公表されず、バイアスのかかった報道として届けられていたのだろうか。時代背景を含めて調べてみたい。

≪発展≫作品を鑑賞し、関係する資料を調査、自身の判断、歴史的評価に対するバイアスや影響について考え、意見交換してみよう。また、授業で紹介する際には、どのような点に注意しながら説明することが大切だろうか。授業で説明するシナリオを書いて発表しよう。

---

[1] 梅野正信『映画で見なおす同時代史』静岡学術出版、2017 年。梅野正信「映画で深める教育法」『季刊教育法』エイデル研究所、2017～2021 年。

77 映画で深める学校と教育の課題

学校や子どもを描いた作品が伝えようとした課題とは

映画の中には、同時代の学校、悩みや苦しみをかかえた子ども、親、教師の姿を描いた作品が、少なくない。

資料は、事実に基づいて、あるいは近未来の学校や教育を描いた作品である。また、これらの作品は、自らの体験、教育実習では体験することのできない、日本と世界の教育に触れることのできる作品、また教育的課題を考える契機ともなる作品でもある。

教師を目指す者としての課題意識と社会的課題の接点を探り、探究を深める契機としたい。

【資料】映画の中の子どもたち	
学校 (1993年日本)	公立の夜間中学に集まる、多様で様々な課題をかかえた生徒たちと教師の交流が描かれている。
ガタカ (1997年アメリカ)	出生時の遺伝子検査で人生が決まる近未来のアメリカ。主人公のヴィンセントを受け入れる幼稚園はない。
未来を写した子どもたち (2004年アメリカ)	インド・コルカタ・ソナガチ地区、貧困と売春街に住み未来を夢見る子どもたちとカメラマンの交流を描く。
私の中のあなた (2009年アメリカ)	難病を負う姉のドナーとして生を受けた妹は、臓器の提供を拒み、自身の生きる権利を表明し、両親を相手とした裁判を提起する。
わたしを離さないで (2010年イギリス)	臓器移植の提供者として社会に運命づけられた子どもたち、その運命を強要する学校や教育者の姿を描いている。
ぼくたちのムッシュ・ラザール (2011年カナダ)	担任の先生が自殺して心が揺れる小学生たちと臨時に担任となった先生の交流が描かれている。
ウォント・バック・ダウン (2012年アメリカ)	教育困難校で学習が十分に受けられないdyslexiaの娘のため、ペアレント・トリガー法による学校改革を目指す母親と教師らを描く。
奇跡の教室 (2014年フランス)	実在の高校教師が、パリ郊外の教育困難校で取り組んだ実践が描かれている。
子どもが教えてくれたこと (2016年フランス)	肺動脈性肺高血圧症、表皮水疱症、神経芽腫など、重い病気をかかえながら生きる子供たちの姿を描く。

「学校」には、東京の公立中学校に設置された夜間中学校に通う、さまざまな人が登場する。松崎運之助『青春 夜間中学界隈』(教育史料出版会1985年)を原作とした実話がもとになっている。不登校で学校へ通えなくなった生徒、文字を学びなおそう

とする在日の女性、働きづめで学校で学ぶ機会を逸した人、私たちと同時代を生きる、まだ出会わぬ人々の存在に目を向けたい。

「ウォント・バック・ダウン」には、ディスレクシアの子どもの苦しみが描かれている。社会や学校の無理解、子どものために学校改革へとのりだす親や教師の姿は、日本の学校や社会を見渡すだけでは、触れることのできない光景である。

「ぼくたちのムッシュ・ラザール」は、担任の教師が自殺したことで、心に暗い影をおとして悩む小学生たち、児童とは距離をとるように求められる教師たちの様子が描かれる。臨時に担任となったラザールが、アフリカの内戦で家族を失い、亡命し、難民審査を受ける様子も、興味深い。

「子どもが教えてくれたこと」は、病気により苦しい生活を続けながら、学校や教育、友人、親の中で、懸命に生きる姿が描かれている。「未来を写した子どもたち」は、インド、コルカタにある、アジア最大の売春街のソナガチ地区に生まれ、それでも希望のある将来を目指そうとする子どもたちの姿が描かれる。いずれも、実在する子どもたちを撮ったドキュメンタリー作品である。

「ガタカ」、「わたしを離さないで」は、架空の、あるいは近未来の物語とされている。出生前後に判明する遺伝子情報が人生を規定してしまう社会、臓器移植のために育てられる子どもたちと、子どもたちを導く学校と教師、強圧的な社会的規範に組み込まれた学校と教師の姿が描かれている。

「奇跡の教室」では、教育困難校で人としての尊厳を毅然とした言葉と行動で求め続ける女性教師が描かれている。彼女の美術史の授業は面白く興味深い。毎年、新しく出会うクラスの生徒たちに、「教えることが大好きで退屈な授業はしないつもり」と話しかける、その姿も、とても魅力的だ。先生の名前をネットで調べると、実在する彼女の姿を確認することができる。

映画を通して、身近な教育、学校の枠をこえた、広い視野、広い課題意識、可能性と魅力に触れてほしい。

≪発展≫学校、教師、子どもたちを描いた作品を視聴し、子どもたちが、誰一人その尊厳を失うことなく、誰一人見捨てられることのない(leave no one behind / ＳＤＧｓ）学校教育の在り方について、まとめてみよう。

≪参考≫梅野正信「映画で深める教育法」『季刊教育法』エイデル研究所、2017～2021年。

78 映像と音声に触れる学び

同時代の社会的事象を記録した音声や映像に触れる。

社会的課題の解決に尽くした同時代の人物を、文字記録だけでなく、映像や音声を通して確認しておくことも、大切である。

映画ＤＶＤの特典映像に添えられたもの、ドキュメントとして販売されているもの、（悪質なウィルスへの感染に注意する必要があるが）ネット上で視聴できるものも、少なくない。資料表の左列は社会的課題に関わる人物、右列には関連する歴史的事象を並べている。実際に映像や音声を確認することで、人と社会的課題との密接な関りに、気付かされるはずである。

【資料】同時代の課題に関わる人物、社会的事象	
Eleanor Roosevelt The Universal Declaration of Human Rights	世界人権宣言採択(1948)を採択した国連でのエレノア・ルーズベルトのスピーチ(1884-1962)
ゼノ・ゼブロフスキー	ゼノ・ゼブロフスキー（Zenon Żebrowski1898-1982）、ポーランド出身の修道士。「蟻の街の神父」として知られる。
澤田 美喜 エリザベス・サンダースホーム	澤田 美喜（1901-1980）は、敗戦後の日本に数多く生まれ、身寄りのない、国籍の違う親から出生した子どもたちを育てる施設を設立した。
Hannah Arendt Eichmann in Jerusalem	哲学者であり「エルサレムのアイヒマン」（1963）の著者であるハンナ・アーレントのスピーチ(1906-1975)
Martin Luther King "I Have A Dream"	人種差別の撤廃と公民権を求めるワシントン大行進の日(1963)、リンカーン記念館で行われたマルティン・ルーサー・キング・ジュニア（1929-1968）のスピーチ。
Muhammad Ali vietnam war	世界的ボクサー、モハメド・アリ（1942-2016）は、ベトナム戦争への兵役を拒否してタイトルを剥奪された。
Nelson Mandela Apartheid	国連おけるネルソン・マンデラ(1918-2013) 反アパルトヘイト特別委員会総会会合(1990) 国連総会南アフリカ会合(1993) 第53回総会(1998)
Sadako Ogata UNHCR	国連難民高等弁務官・緒方貞子（1927-2019）のスピーチ

世界人権宣言は、公式訳（外務省）で確認することができる。格調高い訳文だが、Eleanor Roosevelt のやや甲高い声、最初に提案された国連の雰囲気を味わいたい。

ゼノ・ゼブロフスキー、澤田美喜は、敗戦後の日本、困難な時期、人々に顧みられることなく貧困や差別に苦しむ人々、そして子どもたちのために尽くした人である。

今日、この二人を知る人は、必ずしも多くない。過去に埋もれてしまった人々の、大切な事績を思い起こし、継承することの意味を考えたい。

Martin Luther King は「私には夢がある」というスピーチで広く知られている。一度は読んだことがあるだろう。その言葉を、ときおり空を見上げるように繰り出す、力強く野太い声とともに、聴いておきたい。彼の言葉の一つ一つを重ねるように繰り返す聴衆の声も聞こえてくるはずである。また、無防備の行進に投げられた石をよけるように歩く姿などを、見ておきたい。

Muhammad Ali は世界的に名をはせたボクサーである。その彼が、ベトナム戦争への徴兵を拒否しタイトルを剥奪された。陽気にアピールするボクサーとしてのアリ、戦争に抗議するアリ、数十年を経て事績を再評価される姿、さまざま彼の映像に触れてほしい。

Nelson Mandela は南アフリカのアパルトヘイトに立ち向かい、牢獄にとらわれ、やがて大統領となる。彼が自身の属するアフリカ系国民と、白人社会との融和、和解に力を尽くした功績も、見落とせない。映画とともに、実在の彼の姿、フィルムも確認しておきたい。

緒方貞子を知らない者はいないだろう。難民高等弁務官として活動はもとより、退任後も、人間の安全保障を提唱した。

映像は、たとえドキュメント・フィルムであっても、事実を意図的に切りとった資料であり、史料批判が不可欠であるが、文字で知り、知識として理解することに加えて、人間としての表情、声の質、音量、言葉が発せられた場所等を確認することで、社会的課題に対する理解を広め、考察を深める契機とすることができる。

社会的課題を検索する際に、映像や音声を確認する作業を加えてみては、いかがだろうか。

≪発展≫資料の事柄を検索して映像や音声を視聴してみよう。また、自身が関心を持った社会的課題や人物を検索して視聴し、授業や指導案に組み入れてみよう。

【著者紹介】

梅野正信（うめの　まさのぶ）　学習院大学文学部教授

専門は学校教育史、人権教育、歴史教育。中学校・高校教諭（長崎）、鹿児島大学、上越教育大学を経て、2020年から現職。博士（学校教育学）。『社会科はどんな子どもを育ててきたか』（明治図書、1996）、『和歌森太郎の戦後史』（教育史料出版会、2001）、『いじめ判決文で創る新しい人権学習』（明治図書、2002）、『社会科歴史教科書成立史－占領期を中心に－』（日本図書センター、2004）、『日本映画に学ぶ教育・社会・いのち』（エイデル研究所、2005）、『裁判判決で学ぶ日本の人権』（明石書店、2006）、『教育管理職のための法常識講座』（上越教育大学出版会、2015）、梅野正信『映画で見なおす同時代史』（静岡学術出版、2017）

分担　Ⅲを編集したほか、テーマ２, 42, 43, 52, 59, 60, 61, 62, 63, 64, 65, 66, 67, 68, 69, 70, 71, 72, 73, 74, 75, 76, 77, 78を執筆。

新福悦郎（しんぷく　えつろう）　石巻専修大学人間学部教授

専門は教育実践学。公立中学校教諭（鹿児島）を経て，2014年から現職。博士（学校教育学）。『いじめ問題関係判決書の教材開発といじめ授業―構成要素を中心に』（専修大学出版局、2018）、「いじめ判決書による人権教育の授業開発と検証―特別支援を必要とする生徒へのいじめ防止・抑止―」（学校教育研究29、2014）、「教員養成における防災教育の学習内容・方法についての研究－判決書教材を活用した授業についての感想文分析から－」（石巻専修大学研究紀要28、2017）

分担　Ⅰを編集したほか、テーマ１，３，４，５，６，７，８，９, 10, 11, 12, 13, 14, 16, 17, 18, 19, 20, 21, 22, 27, 28, 29, 32, 33, 35, 36, 38, 39, 41, 46, 56, 57, 58を執筆。

蜂須賀洋一（はちすが　よういち）上越教育大学大学院准教授

専門は法関連教育。公立小学校教諭（鹿児島）を経て、2018年から現職。修士（教育学）。「学校教育における法規範意識の育成に関する研究」（学校教育研究27、2012）、「学校事故に関する判例教材を活用した生徒指導の実践的研究」（生徒指導学研究15、2016）、「学校事故裁判事例を活用した安全教育の実践的研究２」（上越教育大学研究紀要 39（１）、2019）

分担　Ⅱを編集したほか、テーマ15, 23, 24, 25, 26, 30, 31, 34, 37, 40, 44, 45, 47, 48, 49, 50, 51, 53, 54, 55を執筆。

公民科教育と学校教育 ―人権と法で深める探求のテーマ78―

2021年4月14日　初版発行
2023年5月10日　第二刷発行

著　者　梅野　正信
新福　悦郎
蜂須賀　洋一

発行所　株式会社　三恵社
〒462-0056 愛知県名古屋市北区中丸町2-24-1
TEL 052 (915) 5211
FAX 052 (915) 5019
URL http://www.sankeisha.com

ISBN978-4-86693-367-2